Ne vous noyez pas dans un verre d'eau... au travail !

RICHARD CARLSON

Ne vous noyez pas dans un verre d'eau... au travail !

Traduit de l'américain par Jean-Luc Picard

Bien-être

Titre original :
DON'T SWEAT THE SMALL STUFF... AT WORK !
Linda Michaels International Literary Agency

© Richard Carlson, 1998

Pour la traduction française :
© Éditions Michel Lafon, 2001

Ce livre est dédié à vous, mes lecteurs.
J'espère qu'il saura vous simplifier la vie au travail
et vous débarrasser de votre stress.

Sommaire

Introduction

De nos jours, passer huit, dix, voire douze heures par jour au bureau est chose commune. Et que l'on travaille pour une multinationale gigantesque, une PME ou à Wall Street, que l'on soit à son compte, fonctionnaire, commerçant, ouvrier ou artisan, il ne fait aucun doute que le travail peut être, et est en général, une source importante de stress.

Chaque secteur d'activité s'accompagne de problèmes spécifiques et de tensions particulières ; chaque emploi entraîne des soucis et des angoisses qui lui sont propres. De temps à autre, la plupart d'entre nous doivent affronter une combinaison de tracas divers : délais irréalistes, paperasserie fastidieuse, supérieurs hiérarchiques irascibles et tyranniques, réunions inutiles, circulaires superflues, quotas, médisances, harcèlement, précarité, rejet. Ce à quoi il convient d'ajouter les formalités administratives, les impôts, l'ingratitude, une rivalité pugnace, l'insensibilité ou l'égoïsme de collègues, un emploi du temps éreintant, des conditions de travail médiocres, des trajets interminables et des réductions d'effectif inopinées. Les affres du monde de l'entreprise n'épargnent personne ou presque.

Certes, la question n'est pas tant de savoir si vous évoluez dans un cadre professionnel stressant – il l'est, sans aucun doute, à sa manière – ni même de savoir si cette tension vous atteindra – la réponse est évidemment affirmative ! Il faut plutôt se demander comment le gérer, le surmonter et en prendre son parti. On peut, bien sûr, accepter comme un fait inéluctable que toute activité entraîne un stress. Mais on peut réviser sa façon de voir les choses et apprendre à réagir aux exigences de ses fonctions avec plus de sérénité et d'ingéniosité. Pour moi, il est clair que, pour générer un climat plus favorable, il vous faudra trouver ces ressources en vous-même. Rendez-vous à l'évidence : il n'existe pas de travail ni même de mode de vie qui n'apporte son propre lot de défis.

Si vous avez lu mes livres précédents, vous savez que je suis d'un naturel optimiste. Je crois qu'il est à la portée de chacun de transformer, ne fût-ce que dans une moindre mesure, sa qualité de vie, en opérant des mutations dans son attitude ou son comportement. Sans vouloir minimiser les problèmes à surmonter, je suis convaincu que rien ici-bas n'est immuable. Nous pouvons nous améliorer. Le changement ne provient pas d'un emploi moins accaparant ou d'une existence plus facile, mais doit émaner de soi. La bonne nouvelle est que, lorsqu'il se produit, la vie semble radieuse et moins pénible.

Cet ouvrage constitue une réponse aux milliers de lettres et de coups de téléphone que j'ai reçus à la suite de la parution de mon premier ouvrage, *Ne vous noyez pas dans un verre d'eau* [1]. Après l'avoir lu, beaucoup de mes lecteurs eurent le bonheur de voir leur existence se transformer dans le bon sens. Ces fans me réclamèrent bientôt un nouvel opus, exclusivement consacré aux enjeux et tracas suscités par le monde du travail. Comme je puis dire que j'ai vaincu ma tendance à me noyer dans un verre d'eau dans ce contexte et que je connais quantité de gens qui en ont fait autant, j'ai accepté de m'embarquer dans une nouvelle aventure de la série du *Verre d'eau...* au boulot.

Ne trouvez-vous pas impressionnante, sinon extraordinaire, la manière dont nous sommes capables d'affronter et de résoudre de graves crises professionnelles ? Dans la plupart des cas, les personnes concernées par des soucis tels qu'un licenciement en suspens, le rachat d'une petite entreprise par un concurrent vorace, des vols répétés dans la boîte, des agressions dans les couloirs ou les parkings, une délocalisation annoncée, se révèlent, en pleine tourmente, courageuses, inventives et volontaires. Mais dans d'autres domaines, lors-

---

1. J'ai lu n° 7183.

qu'elles se mesurent à la banalité du quotidien, il en va tout autrement. En fait, lorsqu'on y réfléchit, on prend conscience que, malgré des déboires occasionnels sur notre lieu de travail, l'essentiel de ce qui nous tracasse jour après jour est une accumulation de petites choses dérisoires. Heureusement, les drames ou les tragédies ne surviennent que de façon exceptionnelle et plutôt espacée. Ce sont donc bel et bien ces broutilles ordinaires qui tendent à nous rendre la vie impossible.

Imaginons un instant l'énergie que nous perdons quand le stress, la frustration ou la colère nous ronge dans des situations somme toute assez triviales. Que dire de ce que nous coûte le fait d'être perpétuellement dérangé, offensé ou même critiqué ? Songez seulement aux répercussions de l'angoisse ou de la peur... Quel est l'impact réel de ces émotions sur notre rendement et notre plaisir de travailler ? Il est énorme, à n'en point douter. À présent figurez-vous ce qui pourrait se produire si vous utilisiez l'énergie qui alimente ces sentiments négatifs à des fins plus productives, créatives et avantageuses.

Si notre impuissance est compréhensible dans des circonstances extrêmes, nous devons admettre qu'il nous arrive fréquemment de gonfler à outrance des futilités et de leur donner le poids d'urgences – ce qui revient, à terme, à faire de taupinières des montagnes. Il n'est pas rare non plus de nous laisser submerger par le monceau de broutilles qui nous encombrent. À tel point que nous avons tendance à les souder les unes aux autres, de sorte que nous sommes persuadés d'avoir affaire à l'un des cas véritablement épineux dont nous parlions tout à l'heure.

C'est justement parce que ces peccadilles sont légion au travail qu'il y a une corrélation entre la manière dont nous nous en accommodons et notre bien-être au sens large. Il est incontestable que, si l'on arrive à prendre du recul sur ces petites misères, à force de sagesse, de patience et d'humour, on verra jaillir le meilleur de soi-même ainsi que des autres. On passera moins de temps à se sentir contrarié, ennuyé et déçu, et plus à s'estimer efficace et fécond. Adoptez la sérénité : les solutions vous paraîtront aussi pléthoriques que les problèmes à l'époque où vous étiez moins satisfait.

De ce fait, vous remettrez les pendules à l'heure : vous prendrez conscience que le superficiel vous accapare et que l'essentiel en pâtit.

À mesure que vous appliquerez les stratégies exposées ici, vous vous apercevrez que vous aurez à résoudre le même type de problèmes qu'auparavant et en aussi grand nombre. Cependant, vous y réagirez de manière tout à fait originale. Plutôt que de leur opposer une résistance de mauvais aloi, vous vous surprendrez à les accepter avec bien plus de légèreté et d'aménité. Votre niveau de stress s'en trouvera forcément abaissé et vous trouverez la vie bien moins pénible. Je n'ignore pas que l'homme est condamné à gagner son pain à la sueur de son front, mais je sais également qu'il nous appartient de dépasser cette souffrance en adoptant une attitude toujours plus positive. Je souhaite que votre activité professionnelle, quelle qu'elle soit, vous apporte les plus grandes satisfactions de ce monde et j'espère sincèrement que cet ouvrage y contribuera.

Entrons à présent dans le vif du sujet !

1

Osez le bonheur

Beaucoup se refusent le luxe de se laisser emporter par l'enthousiasme, l'insouciance, l'inspiration, la détente ou le bonheur – et ce, tout particulièrement au travail. C'est à mes yeux une forme très fâcheuse d'autodénigrement. On dirait que trop de gens ont peur du regard que collègues, clients ou employeurs portent sur un semblant de décontraction ou de félicité manifeste. L'idée sous-jacente est que joie, aisance et professionnalisme ne feraient pas bon ménage. On a peine à croire qu'Untel, qui est rarement anxieux et arbore un sourire permanent, puisse travailler d'arrache-pied. On en déduit que ce salarié débonnaire est tellement satisfait de son sort qu'il ne cherche pas à progresser et manque de motivation pour aller de l'avant, se parfaire dans sa branche ou sauter le pas pour s'engager dans des voies inexplorées. Bref, au terme de ce raisonnement, on en conclut qu'Untel ne pourrait pas survivre à une compétition effrénée.

Il m'arrive souvent d'accorder mes services à des grandes entreprises aux quatre coins du pays et d'y donner des conférences sur le thème de la réduction du stress et comment rendre la vie plus heureuse. Plus d'une fois, la personne qui m'avait convié m'a demandé, d'une voix tremblante de nervosité, si en appliquant mes conseils pour accéder au bonheur, ses employés ne risquaient pas de disjoncter. Authentique !

En réalité, c'est justement l'inverse. Il est absurde de croire qu'un individu serein et plein d'entrain manque par définition de motivation. Au contraire, les gens heureux aiment généralement ce qu'ils font. Il a été maintes et maintes fois démontré

15

que celles et ceux qui s'épanouissent dans leur métier retirent de ce fait une grande satisfaction, et l'enthousiasme qu'ils éprouvent à s'améliorer sans cesse et à se dépasser n'y est pas étranger. Ils prêtent une oreille attentive aux autres et sont dotés de facultés d'apprentissage hors normes. En outre, ce sont des individus créatifs, charismatiques, sociables et ils excellent dans le travail d'équipe.

À l'opposé, les gens malheureux sont souvent freinés par leurs misères personnelles et leurs tourments, qui les détournent de la voie qui mène au succès. Les êtres rigides ou constamment anxieux sont de vrais éteignoirs et se révèlent des collègues peu conciliants. Ce sont eux qui manquent de stimulation parce qu'ils ne s'affranchissent pas de leurs angoisses, de leur manque de temps et de leur stress. Ils ont une tendance plus que fâcheuse à se poser sans arrêt en victimes – victimes des autres, de leurs responsabilités professionnelles ou de la vie en général. Ils ne sont guère constructifs parce qu'ils passent leur temps à remettre les fautes sur le dos de leurs collaborateurs. En plus, ils sont peu doués pour travailler en groupe, occupés qu'ils sont à s'apitoyer sur leur propre sort et à se regarder le nombril. Ils se placent toujours sur la défensive et restent sourds aux ennuis d'autrui. Si certains font leur chemin et réussissent, c'est en dépit de leur vague à l'âme, et non grâce à lui. D'ailleurs, il ne tiendrait qu'à eux d'accroître encore leur succès pour cela, il leur suffirait de voir la vie sous un jour plus rieur.

J'ai choisi de commencer ce livre par cette stratégie parce que je nourris l'ambition de vous convaincre de la chose suivante : être heureux, gentil, patient, détendu et indulgent est très bénéfique. C'est même un atout, tant sur le plan professionnel que sur le plan personnel. Vous ne « disjoncterez » pas et ne serez pas lésé parce que vous adopterez ce type d'attitude. Je peux vous garantir que vous ne deviendrez ni apathique, ni désinvolte, ni démotivé. Au contraire, vous vous sentirez plus inspiré, plus créatif, et encouragé à persévérer dans vos efforts. Là où d'autres ne verront que problèmes et ennuis, vous échafauderez sans peine des solutions. De même, au lieu de laisser les échecs ou les déconfitures vous abattre, vous profiterez de l'occasion pour rebondir. Vous redoublerez d'énergie et vous révélerez capable de travailler dans l'œil du cyclone. Comme vous aurez su garder la tête froide en pareilles circonstances, on sollicitera vos avis précieux quand viendra l'heure de prendre des décisions importantes. Vous grimperez au sommet.

Si vous osez le bonheur, votre vie s'en ressentira sur-le-champ. Vous aurez l'impression d'être le héros d'une aventure magnifique, tant au bureau qu'à la maison. Vous serez aimé et, sans aucun doute, vous vous laisserez beaucoup moins envahir par des peccadilles.

2

Freinez votre besoin de tout contrôler

L orsque je parle de « contrôler », je fais référence à la détestable habitude de chercher à manipuler autrui à tout prix, par besoin de maîtriser tout ce qui nous entoure, de définir une place pour chaque chose, sachant que, si les personnes ou les événements ne se conforment pas à nos souhaits, notre bien-être est sérieusement entamé. Vouloir tout contrôler signifie que l'on se soucie à outrance des faits et gestes de ses proches et de la manière dont ces agissements vous affectent. Pour remettre les choses dans le contexte de ce livre, il semble que les gens qui souffrent de « contrôlite » aiguë se noient dans l'analyse des comportements de leurs collègues.

Aux multiples remarques que je viens de faire sur ces personnes, je tiens à en ajouter deux. En premier lieu, elles sont trop nombreuses. Pour une raison que je ne m'explique pas, le virus a contaminé tout le pays. En second lieu, c'est une manie qui induit un stress considérable – tant pour celui qui essaie de tout diriger que pour sa victime. Si vous aspirez à une vie plus sereine, brider vos élans de contrôlite est capital.

Un brillant avocat réclamait que l'on réponde favorablement à tous ses caprices. Et pas seulement dans des domaines où l'exigence peut être de mise : tout y passait, même le superficiel. Cet homme préférait utiliser des trombones de couleur cuivre au lieu de ceux argent que sa firme lui procurait (capital, n'est-ce pas ?). Il demanda donc à sa secrétaire de lui en acheter une réserve personnelle hebdomadaire. Non seulement il ne remboursa jamais la pauvre femme qui lui avait obéi sans mot dire, mais en plus il entrait dans une colère folle si un dossier parvenait à son bureau nanti de la mauvaise agrafe. Il fut bientôt couronné « roi du trombone » par l'ensemble des associés du cabinet.

Vous ne serez pas surpris d'apprendre que ce juriste se noyait sous la paperasse et prenait du retard. Son travail s'en ressentit. Tout le temps perdu à pester pour des futilités le ralentissait. Les trombones n'étaient qu'un exemple parmi d'autres de ses lubies dictatoriales : il avait aussi défini des règles strictes sur la manière de lui servir son café (dans une tasse en porcelaine posée sur la soucoupe assortie) ou encore, la façon de le présenter en réunion à des nouveaux clients. Son attitude finit par repousser les clients, écœurés, et ses associés finirent par le limoger.

Je l'admets, cet exemple est extrême et assez particulier, mais penchez-vous sur votre propre attitude et vous découvrirez des domaines où vous témoignez d'une inanité et d'une bêtise quasi identiques. Soyez honnête, reconnaissez-le !

Une personne animée de velléités dirigistes véhicule des montagnes de stress : il ne lui suffit pas de se préoccuper des choix qui s'offrent à elle, du comportement qu'elle adopte dans la vie, elle veut en outre dicter aux autres leurs opinions et leurs attitudes. Si, de temps à autre, il arrive que l'on exerce une influence sur quelqu'un, on ne peut le forcer à être ce qu'il n'est pas. Quoi de plus frustrant que de passer sa vie à essayer de diriger celle des autres sans grand succès ?

Bien sûr, il arrive qu'on prie pour que ses collaborateurs lisent dans ses pensées ou que la télépathie fonctionne avec des clients potentiels. Savoir se vendre et vendre ses idées est une grande qualité. Dans certains cas, on est contraint de défendre ses positions, d'exercer son influence et parfois même d'user de son pouvoir pour que les choses prennent la tournure escomptée. À d'autres moments, on doit insister pour faire accepter coûte que coûte une proposition ou redoubler de persuasion pour gagner des partenaires à sa cause. C'est inhérent à tout travail. Et cela n'a rien à voir avec ce à quoi je me réfère dans l'intitulé de cette stratégie.

Je ne parle pas ici de tentatives normales et raisonnables de créer une belle unanimité autour d'un projet ou d'arrondir les angles. Il ne s'agit pas non plus de dénigrer l'attention bien naturelle que vous pouvez porter à autrui. Je me contente de remettre en question la manière dont l'opiniâtreté, l'égoïsme, l'inflexibilité et le besoin de tout contrôler se combinent pour générer douleur et stress.

L'élément clé semble être un manque de volonté de permettre aux autres de s'accomplir totalement, d'être foncièrement eux-mêmes, de leur accorder assez de liberté, et de respecter – vraiment – les divergences d'opinion. Une personne atteinte de contrôlite ne tolère pas que ses semblables conservent leur personnalité profonde et préfère l'image qu'elle s'est forgée d'eux. Elle pense que son avis prévaut sur celui des autres, qu'elle seule détient la lumière et que, nom d'une pipe, elle va s'employer à éclairer ses contemporains en leur démontrant qu'ils divaguent. Derrière le besoin de tout contrôler se cache une absence de respect pour son prochain.

Comment faire pour se débarrasser de cette sale habitude ? Voyez les avantages que vous trouverez : vous continuerez d'avoir gain de cause de temps à autre et prendrez moins les choses à cœur. En d'autres termes, vous cesserez de régir les faits et gestes de vos proches. Au final, l'existence vous paraîtra beaucoup moins stressante. Lorsqu'on est capable d'accepter que les gens voient la vie d'un autre œil que soi, on souffre beaucoup moins.

De plus, à mesure que vous lâcherez du lest, vous vous apercevrez que l'on recherchera plus votre compagnie. Il vous est facile de comprendre, je l'espère, que la plupart des gens n'aiment pas être manipulés. Ça les rebute. Cela donne lieu à du ressentiment et à des relations antagoniques.

Freinez vos envies de tout contrôler : on sera plus enclin à vous aider et ravi de vous voir réussir. Si les gens s'estiment acceptés pour ce qu'ils sont et non victimes de préjugés, ils vous témoigneront leur admiration.

3

Ne pensez plus : « Je passe ma vie à courir. »

J'entends souvent mes contemporains se plaindre d'être toujours pressés en s'exprimant comme s'il s'agissait d'une banalité. On dirait que c'est entré dans les mœurs, qu'on ne peut y échapper, que c'est une vérité générale. Bref, cours toujours, tu m'intéresses.

Souscrire à cette idée répandue revient à admettre qu'on est archibousculé, que le temps file à la vitesse de l'éclair, qu'on n'en a jamais assez pour tout faire, que l'homme est un loup pour l'homme, etc. Alors forcément, on prend peur, on perd patience, et on est de plus en plus contrarié à force de renforcer et de valider sans arrêt cette croyance. Vous remarquerez que la plupart des gens qui se disent pris dans cette course infernale ont les nerfs à vif et se fâchent pour un rien. Il est important de noter qu'il existe d'autres individus qui font le même métier ou occupent un poste équivalent, subissent les mêmes pressions, exercent des responsabilités identiques, ont un emploi du temps similaire, et qui décrivent pourtant leur vie en des termes beaucoup plus intéressants et empreints de sérénité. Et pourtant, ces derniers sont tout aussi productifs et efficaces que leurs homologues agités.

Je trouve toujours réconfortant de rencontrer des êtres qui, bien qu'ils appartiennent à l'espèce des salariés aux prises avec les tourments du monde du travail, ont pris la décision de ne pas céder à la tendance geignarde actuelle. Ils refusent de se définir en fonction de leur situation et préfèrent déceler le côté positif dans tout.

Une grande partie de notre charge de labeur quotidienne dépend des aspects sur lesquels nous nous arrêtons et de notre manière d'en rendre compte. Je m'explique. Quand nous décrivons la journée qui vient de s'écouler, nous nous sentons parfois le droit de nous lancer dans une litanie du genre : « Mon Dieu ! C'était affreux ! J'étais coincé dans un bouchon de vingt kilomètres avec des millions d'automobilistes furieux. J'ai passé le reste de mon temps en réunions barbantes qui m'ont mis en retard par-dessus le marché ! Tout le monde se crêpait le chignon ou se disputait pour un rien. Quels crétins ! »

Mais vous auriez fort bien pu relater ces mêmes événements de la manière suivante : « Je suis allé au bureau en voiture et j'ai assisté à plusieurs réunions. Ce n'était pas simple, mais j'ai fait mon possible pour assister à l'intégralité de la première sans me mettre en retard pour la suivante. Tout l'art de mon job consiste à faire régner l'harmonie entre des personnes qui, en surface, n'ont pas l'air de s'entendre. Je suis heureux de les aider à accorder leurs violons. »

Percevez-vous la différence ? Inutile d'arguer que le premier compte rendu est réaliste et précis tandis que l'autre est bêtement optimiste. En vérité, les deux sont exacts. Tout est fonction de l'état d'esprit de la personne concernée. La même dynamique s'applique à vos activités, professionnelles ou non. Vous pouvez toujours vous prétendre débordé ou à court de temps. Ou vous pouvez choisir de voir la vie du bon côté.

Changez de mentalité : par la force des choses vous deviendrez plus calme, vous tisserez une vie plus intéressante. Décidez aujourd'hui de ne plus vous lamenter sans cesse et de ne parler que des aspects les plus gratifiants de votre journée. Quand votre esprit s'axe sur le positif au lieu de s'appesantir sur les préjudices que vous subissez, vous distinguez des bienfaits qui vous échappaient jusqu'alors. Vos expériences diverses vous paraîtront riches d'enseignements personnels et spirituels. Vous vous attarderez moins sur les problèmes et plus sur les solutions. Vous mettrez au jour quantité de moyens pour améliorer et optimiser bien des situations.

4

Ne dramatisez pas les délais

On ne compte plus ceux qui subissent la pression constante de délais, de plus en plus brefs, à tenir obligatoirement. Les écrivains n'en sont pas exempts. Mais vous êtes-vous jamais interrogé sur la charge émotionnelle et psychologique que nous insufflons à ces dates butoir ? Vous êtes-vous jamais penché sur les conséquences fâcheuses que nous induisons du même coup ? Si la réponse est négative, je vous conseille vivement de prendre le temps d'étudier sérieusement ces questions.

Il est vrai que les délais sont inhérents à l'existence. Cependant, la pression ne vient pas tant de ce temps imparti que du fait que nous y pensons sans arrêt, que nous nous demandons si nous allons réussir à le respecter, que nous nous apitoyons sur notre sort, que nous nous en plaignons beaucoup et que nous faisons part de notre détresse à notre entourage.

Tout récemment encore, j'avais un rendez-vous dans un bureau. La personne que je devais voir avait été retardée par des embouteillages. J'essayais de prendre mon mal en patience en lisant, mais je fus bientôt fasciné par la teneur d'une conversation absurde. Deux collaborateurs se lamentaient des délais serrés qui leur étaient imposés. Apparemment, ils ne disposaient que de deux heures pour terminer un rapport à remettre à leur patron à midi au plus tard.

Je restai ainsi à les écouter, stupéfait : ils passèrent une heure entière à dire à quel point ils trouvaient cette requête ridicule. Ils n'avaient pas esquissé un geste pour venir à bout de cette tâche. Finalement, une minute avant que mon rendez-vous n'arrive, un des deux hommes s'exclama, paniqué :

— Fichtre ! On a intérêt à s'y mettre ! On n'a plus qu'une heure devant nous !

Je suis conscient qu'il s'agit là, une fois de plus, d'un exemple extrême, et seule une infime minorité de gens est capable de perdre son temps de façon aussi grotesque. Il illustre toutefois le fait que le délai lui-même n'est pas l'unique facteur de stress. D'ailleurs, les deux bavards se sont aperçus de la faisabilité de la chose qui leur était demandée, en une heure de temps seulement ! Il ne nous reste plus qu'à imaginer à quel point les choses auraient été différentes s'ils étaient partis du bon pied et avaient besogné de conserve aussi vite et efficacement que possible, sans atermoyer.

J'ai vérifié moi-même souvent que déplorer la restriction des délais – même si c'est justifié – gâche une quantité d'énergie invraisemblable et un temps fou ! Ça ne vaut ni la peine de déverser son amertume dans des oreilles compatissantes ni de s'agiter intérieurement. Ressasser la chose sans cesse est une source supplémentaire d'anxiété.

Je sais bien que la notion de délais est souvent stressante et que le caractère urgent d'un travail est la plupart du temps injustifié. Mais œuvrer pour atteindre son objectif sans s'encombrer de pensées négatives contribue à aplanir toutes les difficultés qu'une tâche pressante peut présenter. Essayez donc de mesurer votre propension à vous inquiéter, vous tracasser ou à vous plaindre d'un délai. Ensuite, tentez de vous surprendre sur le fait. Le cas échéant, rappelez-vous que votre énergie mérite d'être dépensée à d'autres fins. Qui sait, peut-être accepterez-vous les délais à venir plus sereinement.

5

Débranchez le téléphone
à un moment de la journée

J e trouve qu'il y a du bon et du mauvais dans le téléphone. Du bon, et même du très bon dans la mesure où il sauve des vies et est essentiel pour la plupart des gens. Sans cette magnifique invention d'Alexander Graham Bell, travailler serait quasiment impossible. Il comporte aussi du mauvais dans la mesure où, selon la profession que vous exercez, il peut vous distraire de ce qui vous occupe ou contribuer à aggraver votre stress. On a parfois le sentiment d'avoir passé la journée au téléphone. Et, avec le combiné collé à l'oreille, il est presque impossible de s'acquitter de toutes les tâches qui nous attendent. Cela peut vous angoisser ou vous pousser à éprouver du ressentiment à l'égard de ceux qui vous appellent.

Je me trouvais un jour dans le bureau d'un chef d'entreprise lorsque le téléphone se mit à sonner.

— Ce fichu appareil ne s'arrête jamais ! s'exclama-t-il aussitôt.

Il le décrocha cependant et se lança dans une conversation qui devait durer un quart d'heure. Je patientai sans rien dire.

Quand il raccrocha enfin, il avait l'air épuisé et contrarié. Il me pria de l'excuser encore lorsque la sonnerie retentit à nouveau. Il m'avoua un peu plus tard qu'il avait un mal fou à régler ses dossiers en instance parce qu'il passait son temps à répondre au téléphone. Je finis par lui demander :

— Avez-vous envisagé la possibilité de fixer une tranche

horaire au cours de laquelle vous ne répondriez pas au téléphone ?

Il me regarda, perplexe, et répondit :

— Eh bien, l'idée ne m'avait jamais effleuré.

Il advint que cette simple suggestion l'aida non seulement à se détendre mais à travailler davantage. Comme beaucoup d'entre nous, il n'avait pas besoin d'une journée entière sans interruption, mais de quelques moments de tranquillité ! Étant donné qu'il rappelait ceux qui lui avaient laissé un message, il était en position d'abréger la discussion en expliquant qu'il n'avait pas le loisir de prolonger la conversation mais qu'il tenait absolument à répondre à leurs questions.

De toute évidence, le téléphone est un outil indispensable que nous sommes amenés à utiliser de manière variable. Si vous êtes standardiste, opérateur téléphonique, ou même représentant de commerce, cette stratégie ne vous sera pas très profitable. En revanche, pour beaucoup, ce conseil peut rendre bien des services. Dans mon bureau, par exemple, si je ne coupais pas le téléphone pendant un laps de temps défini, j'y passerais le plus clair de ma journée. Il sonne sans arrêt. Il me faut donc m'astreindre à une certaine discipline, sans quoi je n'aurais pas la possibilité d'écrire ou d'approfondir des projets qui me tiennent à cœur. Je suis sûr qu'il en va de même pour vous.

Vous pouvez appliquer cette stratégie de diverses manières. Pour ma part, je fixe des plages horaires au cours desquelles je coupe la sonnerie et ne réponds qu'aux appels convenus à l'avance ou aux urgences extrêmes – rarissimes, il faut l'admettre. Cela me donne assez de temps pour me concentrer, sans distraction, sur mes priorités du moment.

Bien sûr, beaucoup sont forcés de décrocher l'appareil quand il sonne – que ce soit parce que le règlement en vigueur dans l'entreprise l'exige ou parce que cela fait partie des obligations liées à leur emploi – et ceux-là devront déterminer des façons originales d'aborder cette stratégie. Peut-être pourront-ils venir au bureau un peu plus tôt et tirer parti du silence avant le début « officiel » de leur journée de labeur. Je connais une femme qui déjeune à son poste afin de travailler au calme et de brancher son répondeur sans s'attirer les foudres de ses employeurs. Ces derniers lui ont d'ailleurs accordé en guise de compensation, après qu'elle en a fait la demande, la permission de quitter l'entreprise une heure plus tôt. Au final, elle a gagné en efficacité et en productivité.

Peut-être réussirez-vous à démontrer à votre propre patron le bien-fondé d'une requête analogue. N'oubliez pas que bon nombre d'appels ne présentent aucun caractère d'urgence et peuvent être reportés sans problème à un autre moment de la journée. Vous pouvez essayer notamment de laisser à une messagerie la réponse à une question donnée après l'heure de fermeture des bureaux. Cela ne vous prendra qu'une ou deux minutes au lieu des quinze traditionnelles pour introduire votre propos, discuter à bâtons rompus, échanger quelques amabilités et raccrocher.

Si vous travaillez chez vous et si, pour une raison quelconque, vous vous affairez à votre domicile, cette stratégie fait merveille et est souvent plus facile à mettre en œuvre. Il vous suffit de décréter une période durant laquelle vous ne céderez pas à la tentation de décrocher. Cela vous donnera tout loisir de vaquer à vos occupations.

Attention, ce conseil n'est pas à toute épreuve. Il y a souvent des tactiques à mettre au point. Notamment pour les appels urgents ou d'ordre strictement personnel. En ce qui me concerne, j'ai une ligne réservée dont je n'ai confié le numéro qu'à mes amis les plus proches, aux membres de ma famille et à quelques collaborateurs triés sur le volet. Vous pouvez également donner un numéro de biper, ou celui d'une ligne reliée à une messagerie vocale ou à un répondeur en spécifiant qu'ils ne sont à composer qu'en cas d'absolue nécessité. La plupart des gens respecteront vos consignes. Une autre solution consiste à consulter régulièrement votre répondeur, voire après chaque message si le cœur vous en dit. De cette manière, vous serez en mesure de remettre l'afflux d'appels à un moment qui vous conviendra mieux et de rappeler ceux qui ne peuvent souffrir aucun report.

Tout le mal que vous vous donnerez à mettre cette stratégie en pratique sera, j'en suis sûr, récompensé au centuple. Soyons lucides : le monde ne s'arrêtera pas de tourner si nous devenons moins esclaves du téléphone. Je me suis aperçu que j'arrive à abattre le double, voire le triple de travail quand je suis concentré et que le téléphone ne me dérange pas. Aussi, grâce à tout ce temps gagné, je peux toujours passer mes coups de fil une fois mon ouvrage accompli.

6

Évitez les fanfaronnades d'entreprise

Mes activités professionnelles m'amènent régulièrement à me rendre aux quatre coins du pays pour m'adresser à des entreprises entières ou à des petits groupes de salariés. Mes conférences portent sur la réduction du stress, la quête du bonheur, et les diverses astuces à notre portée pour cesser de nous noyer dans un verre d'eau. On me demande souvent d'assister à des réunions, à des déjeuners ou à des soirées avant ou après mon exposé. Et, bien que je sois d'un naturel plutôt réservé et que j'aime à m'isoler surtout avant de parler devant un auditoire important, je qualifierais volontiers de sympathique, attentionnée et talentueuse la majorité des personnes que j'ai rencontrées en pareilles circonstances.

Il m'est cependant arrivé de noter une tendance destructive en passe de se propager partout, que j'appelle désormais la « fanfaronnade d'entreprise ».

Il s'agit d'une déplorable propension à faire part à tous vos interlocuteurs de la charge de travail qui vous échoit et de votre planning surchargé. Je ne vise pas ici les allusions lâchées en passant. Je ne m'y intéresse que dans la mesure où elles constituent l'essentiel de la conversation, qu'elles en sont le sujet principal. Quand on y réfléchit un instant, cela revient à se décerner une palme que bien peu d'entre nous souhaiterions arborer : celle de l'individu toujours à cran, insomniaque, et dépourvu de vie privée. J'ai entendu des centaines de personnes discuter des horaires de travail extravagants qu'elles pratiquent, ainsi que du peu de sommeil qu'elles s'octroient chaque nuit. J'ai écouté des gens expliquer que l'épuisement était devenu partie intégrante de leur existence. Ils s'étendent sur l'heure à laquelle ils arrivent au bureau tous les matins, dissertent sur le nombre de mois qu'ils ont passés sans profiter de leur conjoint, de leurs enfants ou de leurs proches, voire sur le nombre d'années qu'ils ont vu s'écouler sans prendre de congés. J'ai croisé des individus qui se vantaient de n'avoir pas le loisir de fréquenter des personnes du sexe opposé, d'être tellement débordés qu'ils en oubliaient de s'alimenter et même, je vous l'assure, d'aller aux toilettes.

Cette tendance désastreuse ne se cantonne pas, hélas, au monde de l'entreprise. Elle s'étend plutôt à l'ensemble de ceux qui doivent travailler pour gagner leur vie et s'avère par là même extrêmement pernicieuse.

Mais avant d'approfondir cette idée, permettez-moi de vous assurer que je ne cherche aucunement à réduire les difficultés inhérentes à la vie professionnelle ni même à m'abstraire de l'investissement que toute activité coûte à celui qui s'y adonne.

J'en ai moi-même fait les frais. Le fait de crier sur tous les toits le dur métier qui est le vôtre contribue à augmenter considérablement le stress que vous éprouvez.

Songez-y un instant : rebattre les oreilles de vos interlocuteurs avec ce type de rodomontades ridicules instaure à la longue un dialogue improductif, lourd et ennuyeux. J'ai étudié maints échanges verbaux uniquement constitués de répliques de ce genre et je dois avouer que chacune des parties ne semblait guère intéressée par ce que disait l'autre. D'ordinaire, la personne qui écoute – si l'on peut dire – patiente sagement avant de se lancer elle aussi dans le détail de ses occupations, quand elle n'est pas en train de jeter des regards alentour, sans accorder la moindre attention aux propos qui viennent de lui être débités.

Mettez-vous à la place de ceux à qui vous vous confiez. Qui que vous soyez, quel que soit votre métier, vos discours sur la quantité de travail que vous abattez ou l'état défaillant de vos nerfs n'intéressent personne. Ils sont d'ailleurs plutôt rasoir. Pour ma part, je ne supporte plus de tendre une oreille compatissante à ce type de bavardage et je le fuis comme la peste. Soyons réaliste : savoir combien je suis débordé vous passionnerait-il ? Je ne le crois pas. Ma préférence va aux gens capables de discuter des aspects les plus enrichissants de l'existence, et je suis sûr que vous partagez cette appréciation.

Par conséquent, quel que soit le point de vue d'où l'on se place, les forfanteries d'entreprise ne servent à rien. Si vous vous sentez écrasé par le poids de vos responsabilités, vous devez tenter de le réduire ou d'essayer de rattraper le temps perdu par tous les moyens. Toute autre démarche exacerberait votre stress.

Changez votre fusil d'épaule, et vous deviendrez un être bien plus fréquentable.

7

Exploitez au mieux les réunions fastidieuses

J'ai effectué une étude assez exhaustive qui porte sur les aspects de leur vie professionnelle que les gens trouvent les plus déplaisants. La réponse la plus fréquente traduit la contrariété face à la multiplication de réunions fastidieuses. Beaucoup estiment trop nombreuses, voire superflues, la plupart de ces entrevues quotidiennes ou hebdomadaires.

Il est vrai que ma profession ne m'oblige pas à participer à de telles assemblées aussi souvent que ceux qui exercent leurs compétences dans d'autres domaines. J'ai néanmoins élaboré une stratégie à ce propos que j'ai trouvée très utile. Et ceux qui l'ont adoptée corroborent ses bienfaits.

J'ai mis au jour deux secrets qui peuvent rendre presque toutes les réunions de travail aussi productives et intéressantes que possible. Premièrement, je profite de ces occasions pour m'entraîner à me concentrer sur le moment présent. En d'autres termes, j'essaie de me focaliser sur la discussion en cours en freinant mon envie de laisser mes pensées vagabonder. Mon objectif est de bénéficier au maximum de cette situation. Après tout, j'y suis, j'y reste. Je pourrais certes souhaiter me trouver ailleurs en cet instant précis ou songer au week-end prochain. Mais ne vaudrait-il pas mieux que j'exerce mes qualités d'écoute ? Cela me permettrait de réagir aussitôt que nécessaire aux propos échangés. Ainsi, si cela entre dans le champ de mes possibilités, je pourrais apporter ma pierre à l'édifice.

Depuis que je m'astreins à cette conduite, je me suis aperçu que les séances de travail en groupe revêtent un intérêt certain. Des points de vue différents me viennent à l'esprit et j'ai le sentiment d'avoir beaucoup à offrir. J'ai également noté un regain d'estime mutuelle : inconsciemment, lorsqu'on vous écoute, vous êtes vous-même disposé à écouter autrui. Sans compter que la confiance que vous portent vos auditeurs ira croissant, attirés qu'ils seront par la présence et l'énergie que vous dégagerez.

Le second engagement que j'ai pris concernant ces réunions est de me répéter que j'en retirerai forcément un enseignement. J'écoute attentivement ce qui se dit dans l'espoir d'apprendre quelque chose qui m'échappait auparavant. Autrement dit, plutôt que de juger les propositions débattues à l'aune de mes convictions, de les approuver ou de les désapprouver en pensée, je recherche activement ce qu'elles peuvent contenir de sagesse, de perspectives inédites ou d'innovation. Au lieu de ressasser mentalement que je sais tout, je fais le vide dans ma tête et adopte le point de vue du candide face à toutes choses.

Les résultats sont significatifs et impressionnants. J'ingurgite beaucoup plus d'informations et je reprends plaisir à prendre part à ces sessions de brainstorming. Je sais enfin en profiter. Pour résumer, voici ma philosophie : de toute façon, j'assiste à cette réunion. Pourquoi ne pas employer ce temps de manière utile et saine au lieu de souhaiter me trouver à des kilomètres ? Cette analyse m'a permis d'améliorer ma vie professionnelle. Je vous souhaite le même succès.

8

Cessez d'anticiper la fatigue

Je me trouvais récemment à bord d'un avion qui me menait de San Francisco à Chicago lorsque je perçus par hasard l'une des conversations les plus stupides qu'il m'ait jamais été donné d'entendre. Elle témoigne d'une erreur souvent fatale, quoique très commune, chez nos contemporains. Ce dialogue, qui dura près d'une demi-heure, tournait autour de la fatigue que ne manqueraient pas d'éprouver ces VRP... le lendemain et le reste de la semaine !

On aurait dit que tous deux essayaient de se convaincre mutuellement de la charge de travail sous laquelle ils croulaient, du peu d'heures de sommeil qu'ils avaient par nuit et, par-dessus tout, du niveau d'épuisement qui s'abattrait sur eux. Se vantaient-ils, se plaignaient-ils ? Je n'étais pas à même de trancher. Une chose est sûre : ils paraissaient de plus en plus las à mesure que la discussion se prolongeait.

Voici un florilège de leurs répliques :

— Bon sang ! Demain je vais être crevé !

— Je ne sais pas comment je vais tenir jusqu'à la fin de la semaine !

— Je ne vais dormir que trois heures cette nuit.

Les deux hommes échangeaient des récits peuplés de nuits sans repos, de lits d'hôtel inconfortables, de rendez-vous à l'aube. Ils se projetaient déjà dans un état d'exténuation prochaine et je suis certain que leurs plus sombres prédictions se réalisèrent bel et bien. Leurs voix étaient blanches, comme si le manque de sommeil à venir les affectait déjà. Je sentais moi-même mes paupières s'alourdir rien qu'à les écouter !

L'ennui avec ce type d'attitude est qu'il ne fait qu'accroître votre surmenage. Cela focalise votre attention sur le quota d'heures qui vous restera pour dormir et sur la fatigue que cela occasionnera.

À votre réveil, vous vous remémorerez probablement le peu de temps que vous aurez passé sous la couette. Il me semble que l'anticipation transmet un message à votre cerveau qui vous enjoint à son tour de vous sentir fourbu – et même d'en avoir l'air.

Il est évident que chacun et chacune a besoin de son content de sommeil. J'ai lu bon nombre d'articles qui révèlent que nous ne dormons pas assez. Et lorsqu'on est à bout de forces, la meilleure des solutions est encore de sombrer dans les bras de Morphée. Mais quand la situation ne permet pas de recharger ses accus, il n'y a rien de pire à mes yeux que de se répéter par avance qu'on va être épuisé. Je recommande en revanche de dormir autant que faire se peut et de se féliciter de ces précieux instants de répit, si maigres soient-ils.

Mes nombreux déplacements, dus aux conférences que je donne ou aux impératifs de promotion de mes ouvrages, ne me laissent le plus souvent que deux à trois heures de repos nocturne, et parfois moins. J'ai remarqué cependant que lorsque j'en arrive à oublier cela purement et simplement, je trouve mon sommeil – même bref – beaucoup plus récupérateur. Je ne me hasarde d'ailleurs jamais à me désoler de mes nuits trop courtes avec quiconque. Je sais d'expérience que cela m'épuise.

J'ai constaté à quel point cette habitude s'est insidieusement infiltrée dans les conversations de la plupart des gens. N'en prenez pas ombrage, cela m'est arrivé des dizaines de fois. Évitez donc de céder à cette envie. Vous vous sentirez plus énergique et, en limitant cette fatigue annexe, il y a fort à parier que vous cesserez de vous noyer dans un verre d'eau au travail.

9

Ne vous noyez pas dans la bureaucratie

Rares sont les activités professionnelles où l'on n'est pas confronté, à un moment ou à un autre, à l'administration. On ne compte plus les formalités à remplir ni la paperasse qui s'accumule : assurance, impôts, taxes locales ou nationales, sécurité sociale, mutuelles, services de poste ou de routage, mairie, bulletins de salaires, permis divers, création d'entreprise, organismes de tutelles, etc. À quoi il convient d'ajouter les multiples démarches à effectuer relatives au domaine spécifique dans lequel on œuvre – éducation, médecine, alimentation, transports, construction, environnement, pour ne citer que ceux-là.

On peut, bien sûr, passer son existence entière à se plaindre de la bureaucratie, à espérer sa disparition et à lutter pied à pied à chaque nouvelle confrontation. On peut se battre, s'engager dans un dialogue négatif, élaborer des tactiques guerrières à en perdre l'esprit. Mais au bout du compte, il faudra quand même composer avec. Je vous suggère donc de cesser d'en faire une montagne et je vous recommande vivement de faire la paix avec l'administration. C'est à la portée de chacun. Lisez plutôt.

Joe possédait une petite entreprise où il employait six personnes. Il reçut un courrier de son percepteur qui voulait s'assurer de la fermeture de son affaire. Mais le hic, voyez-vous, était que Joe n'avait nullement l'intention de mettre la clé sous la porte ! Chaque fois qu'il téléphonait ou écrivait pour clarifier ce problème, il se voyait répéter qu'il devait faire erreur, que sa société avait bel et bien cessé toute activité. Au bout de six mois, les choses rentrèrent dans l'ordre.

Le mérite en revient, sans l'ombre d'un doute, à Joe qui ne paniqua jamais. Il m'expliqua que, statistiquement, une telle erreur peut survenir. Plutôt que de perdre ses moyens, de s'affoler, il conserva son sang-froid et affronta sereinement la tempête.

Je vais m'efforcer d'être clair : je ne vous conseille en aucune manière de tendre l'autre joue et de devenir la victime des ronds-de-cuir. De même, je ne vous engage pas le moins du monde à vous laisser entraîner dans les méandres administratifs sans broncher ou à sourire béatement quand un fonctionnaire zélé vous livrera ses conclusions ubuesques. En revanche, confronté à ce système, je vous encourage à décupler votre efficacité, à en tirer le maximum, à émettre des idées pour l'améliorer et, ensuite, à prendre du recul devant ses aberrations.

Face à l'administration ou à des tracasseries similaires, il faut se convaincre qu'une solution existe et qu'on la trouvera. Des exceptions subsistent, il est vrai, où les difficultés paraissent inextricables et les problèmes insolubles, mais dans la plupart des cas, il suffit de s'armer de patience, de persévérance et de détachement pour voir ses efforts couronnés de succès. Il y a beaucoup à gagner, aussi, à développer son sens de l'humour et, si possible, à comprendre en quoi les réglementations sont utiles à la société, même si elles vous accaparent.

L'année dernière, je dus me mesurer à deux imbroglios administratifs dont les principaux protagonistes étaient le service des cartes grises et une commission municipale chargée de la construction d'un complexe immobilier. Plongé dans un univers où la logique et le bon sens n'avaient pas droit de cité, j'en suis arrivé à me demander sur quelle planète j'étais tombé ! Pourtant, mes interlocuteurs et moi-même avons fini par trouver un terrain d'entente.

Le tableau n'est pas aussi sombre qu'on veut bien se le dépeindre. Au cœur de la nasse administrative, il y a des personnes qui ne se fondent pas dans le moule, qui ont l'esprit large et qui seront pleines de sollicitude à votre égard. Cherchez-les. Lors de mes récentes péripéties, des individus formidables m'ont secouru. Je vous assure que la plupart des fonctionnaires sont aussi frustrés que vous et moi. Derrière le guichet se tient un homme ou une femme prisonnier(ère) de son rôle.

Rappelez-vous que les employés du fisc paient aussi des impôts et que ceux qui travaillent au bureau des cartes grises possèdent une automobile. Ils passent donc eux aussi de l'autre côté de la barrière, comme nous tous. Voici donc mon conseil : si vous gardez votre flegme, votre calme et votre sens de la mesure, les chances de croiser une personne aimable et efficace augmenteront. Manifester votre agacement ou votre colère aggrave forcément la situation, puisque cela exacerbe le pointillisme de vos interlocuteurs, qui appliqueront la loi au pied de la lettre, sans chercher à élaborer un arrangement à l'amiable.

Je sais à quel point ce thème est épineux – il me touche également. J'ai longuement médité ce sujet et je suis parvenu à la conclusion suivante : ne nous tracassons plus et nous ne nous noierons plus dans le verre d'eau bureaucrate.

10

Rappelez-vous : « Mourir n'est pas rentable. »

Il y a de cela plusieurs années, mon père était impliqué dans une association formidable : les « Business Executives for National Security », autrement dit les P-DG en faveur de la sécurité nationale. L'une de leurs missions consistait à prouver à des chefs d'entreprise l'absurdité de la course aux armements nucléaires, arguant des sommes astronomiques qu'elle induisait et de la menace qu'elle représentait, à terme, pour l'humanité entière. L'un des slogans de ce mouvement que je préfère est le suivant : « Mourir n'est pas rentable. » Une lapalissade avec un zeste d'humour, me direz-vous : il est évident que si l'on fait sauter la planète, nous n'aurons pas l'occasion de nous enrichir !

Je parie que vous vous doutez où je veux en venir. On peut, bien sûr, étendre cette brillante métaphore à soi-même, et en particulier au soin que l'on porte à sa santé. Mourir n'est pas rentable, c'est un fait.

Garder cela à l'esprit est encore le meilleur moyen de remettre les choses en perspective. Au lieu de vous apitoyer sur le fait que vous n'avez pas le temps de faire du sport, dites-vous bien que vous n'avez pas le temps de *ne pas* pratiquer d'exercice physique. Si vous négligez votre hygiène de vie ou votre bien-être, vous n'aurez bientôt plus la force d'aller au bureau. À terme, prendre soin de vous se révèle beaucoup moins dommageable que de se retrouver dans l'incapacité de fonctionner correctement.

Jim était associé dans un cabinet d'avocats new-yorkais. Malgré l'affection qu'il portait à sa famille, il brûlait la chandelle par les deux bouts. Il partait de chez lui dès potron-minet et rentrait tard le soir. Il ne voyait pas ses enfants grandir. Il voyageait sans cesse et subissait un stress harassant. Il ne dormait plus et ne se dépensait plus. Il me dit un jour :

— Richard, à ce rythme, je vais crever.

Il avait l'impression que la situation ne s'arrangerait jamais. Plus il se rendait indispensable, plus on alourdissait les responsabilités qu'il devait assumer.

La coupe fut bientôt pleine. Après y avoir longuement réfléchi, il parvint à la conclusion que, bien qu'il prît son travail très à cœur, il ne méritait pas qu'il y laisse sa peau et qu'il manque les plus belles années de ses gamins. Il décida qu'un changement s'imposait. Il quitta la firme et ouvrit son propre cabinet. J'ai rarement vu transformation aussi magnifique. Récemment encore, il me confiait :

— Je n'ai jamais été aussi heureux de toute ma vie. Les affaires marchent plus fort que jamais et, pour la première fois, j'ai la possibilité de passer du temps en famille.

Il ne chôme guère, mais il a réussi à équilibrer les divers domaines de son existence de manière à ne pas se sentir lésé sur le plan personnel. S'il avait persévéré dans la voie où il s'était engagé, sa santé et son bonheur en auraient été grandement affectés. On peut donc dire que Jim a bel et bien décrété que mourir n'était pas rentable !

Il va sans dire que de tels bouleversements ne sont pas à la portée de tout le monde. Mais manger sain, faire du sport, se reposer, penser de manière positive, prendre rendez-vous chez son médecin et adopter une hygiène de vie ne constituent-ils pas des choix raisonnables ? Ignorer ces précautions frappées au coin du bon sens peut avoir des répercussions dramatiques, et en outre gaspiller un temps fou à long terme. Calculez donc les pertes générées par chaque journée de travail ralentie ou perdue suite à un rhume non soigné ou à une grippe qui s'éternise. Qui sait le nombre d'années que vous gagneriez en vous dorlotant un peu ?

En vous rappelant que « mourir n'est pas rentable », vous commencerez probablement à vous choyer davantage, tant sur le plan physique qu'émotionnel. Tonique, heureux et résistant, vous ne vous inquiéterez plus du retard que vous risquez d'accumuler en vous accordant ces instants de répit parce que vous vous révélerez, au final, plus productif. Votre carrière atteindra des sommets. Alors gardez-vous en vie et en bonne santé. C'est incontestablement plus rentable.

11

Profitez de vos déplacements professionnels

L a plupart des activités professionnelles n'offrent que peu d'occasions, sinon aucune, de voyager. Cependant, ceux que leur métier amène à se déplacer souvent connaissent bien les tracas que comporte la fréquence de ces expéditions : embouteillages, courses effrénées, retards et annulations de train ou d'avion, longues attentes dans des espaces restreints, files interminables d'usagers impatients, phobies liées à des turbulences en plein vol, décalage horaire harassant, sommeil perturbé, nourriture d'hôtel indigeste, etc. Des désagréments qui nous pèsent mais auxquels nous sommes tenus de nous acclimater.

Il n'existe guère de solution satisfaisante à la kyrielle de problèmes que l'on est susceptible de rencontrer dans de telles circonstances. Il n'en demeure pas moins que nous pouvons rendre ces voyages moins pénibles de diverses façons.

Pour commencer, je vous suggère par exemple de vous lier autant que possible avec le personnel à bord. On m'a répété une bonne dizaine de fois au moins que j'étais le passager dont rêve toute hôtesse de l'air. Cela m'a paru un peu étrange au premier abord, dans la mesure où je déteste prendre l'avion et que je ne suis pas aussi aimable que d'ordinaire quand je suis enfermé dans un jet. Après réflexion, j'en ai déduit que la plupart d'entre nous sommes d'une impatience sans limites dès lors que nous voyageons. Il faudrait que nous gardions à l'esprit que le rôle d'un steward consiste à nous assurer confort et sécurité pendant tout le vol, et pas seulement à nous offrir du café.

Je me suis aperçu que, pour peu que je fasse un effort de cordialité, que je remercie le préposé aux plateaux-repas ou que je manifeste ma reconnaissance pour le service, le temps s'écoule à une vitesse nettement plus grande et de manière autrement agréable. En contrepartie, le personnel navigant, de son côté, fait tout son possible pour me satisfaire. Et, mais peut-être mon imagination me joue-t-elle des tours, j'ai l'impression que les autres passagers se détendent également.

Agissez de même quand vous faites la queue devant un guichet. Vous serez stupéfait de l'accueil que l'on vous réservera si vous offrez un visage avenant à votre interlocuteur ! J'ai ainsi eu la surprise, à plusieurs reprises, de me voir « mystérieusement » octroyer une place en première classe alors que je détenais un billet économique ou de voir mon nom placé en priorité des files d'attente pour la simple raison que je devais être le seul voyageur à taire ses doléances et à ne pas malmener les employés. Quand on voyage pour affaires, la compassion et la patience sont des vertus rémunératrices...

Et puis il y a aussi les choses plus évidentes. Essayez de ne pas vous goinfrer dans un avion. De temps à autre, il m'arrive même de sauter un repas, et je m'en félicite chaque fois. Si vous devez boire de l'alcool, tenez-vous-en à la dose minimale. En cours de vol, faire bombance ou trop arroser son repas abrutit ou excite. La frugalité et la tempérance vous aident à vous remettre de ces quelques heures d'immobilité forcée et à conserver votre ligne.

Emportez plusieurs bons bouquins en cabine. L'avion a cela d'extraordinaire qu'on y dévore des livres qu'on ne lirait même pas en temps normal. Plongez-vous donc dans un roman palpitant, un polar par exemple. Je connais des gens qui profitent de leurs déplacements pour s'initier à une langue étrangère au moyen de cassettes audio et d'un baladeur. Ils mettent leur casque, ferment les yeux et se détendent. Selon eux, cent mille kilomètres plus tard, ils parlent couramment l'espagnol ou le russe !

Bien sûr, vous pouvez aussi tirer parti de ce périple pour avancer sur vos dossiers. J'estime que j'ai écrit en vol un bon quart de mes livres (et, comble de l'ironie, cette stratégie a été rédigée sur le plancher des vaches !). Comme je l'ai dit, je n'aime guère prendre l'avion. Mais désormais, j'attends avec impatience cette occasion qui m'est fournie pour écrire.

Lorsque vous arrivez à destination, positivez ! Avez-vous jamais souhaité apprendre la méditation ou le yoga ? Quel endroit se prête mieux pour une première initiation qu'une chambre d'hôtel solitaire et paisible ? Vous avez du travail à rattraper ? Génial : rien ne viendra vous en distraire entre ces quatre murs. Faites donc de la gymnastique, même sans sortir de votre suite. Promenez-vous avant vos rendez-vous ou en fin de journée. Renouez avec de vieux amis que vous n'avez pas le temps d'appeler de chez vous ou du bureau.

Pour conclure, voici mon conseil : profitez-en au maximum ! Soyez créatif. Misez sur vous-même. Plutôt que de vous plaindre, essayez de saisir la chance qui vous est offerte. Tôt ou tard, rétrospectivement, vous vous direz soit que votre vie de voyages a été un cauchemar, soit que vous avez su mettre ces déplacements à profit. Et vous exprimerez l'un ou l'autre de ces points de vue non en fonction du nombre de kilomètres parcourus ou des villes visitées, mais au vu de l'état d'esprit qui y aura présidé. Bon voyage !

12

Rappelez-vous : il suffit d'une étincelle

Ceci est une stratégie pour mieux vivre que j'ai entendu mentionner il y a bien longtemps. Et bien que j'oublie souvent d'y recourir, je m'efforce de toujours la garder à l'esprit. Elle est d'une simplicité enfantine et d'une efficacité hors pair, et pourtant peu de gens la mettent à profit. Ainsi que son intitulé le suggère, elle vise à prendre des mesures constructives, à chercher à élaborer des solutions (si minces soient-elles) face à une situation donnée, au lieu de s'en plaindre les bras ballants. À mes yeux, le travail en est l'un des meilleurs champs d'application.

Au bureau, il est toujours facile de tomber dans le piège qui consiste à gaspiller temps et énergie à noter et à critiquer les imperfections de ce monde : l'état de la société, l'économie, les individus, les mutations industrielles, l'avidité des uns et des autres, l'absence de compassion, l'administration, etc. Après tout, nous n'avons pas à chercher bien loin pour prouver à nos interlocuteurs que le monde actuel ne tourne pas rond.

Mais à y regarder d'un peu plus près, on s'aperçoit que, dans la plupart des cas, partager ses soucis professionnels avec d'autres ou y penser fréquemment ne sert qu'à élever le niveau de son stress, et donc à éloigner les solutions. Si l'on se focalise sur cet enchevêtrement de problèmes et que l'on en discute avec des collègues, par exemple, on voit se renforcer la conviction selon laquelle la vie est pleine d'embûches, ce qui, pour partie, n'est pas faux. D'autres aspects perfectibles de son existence viennent se greffer à ces sombres pensées. On en vient ainsi à broyer du noir, en proie au découragement et à l'affolement le plus complet.

Cependant, il est intéressant de noter que, bien souvent, nous sommes non seulement capables de nous sortir de cette impasse, mais aussi de réduire de manière significative le niveau de stress qui l'accompagne en choisissant simplement d'enclencher le système qui provoquera l'étincelle. Cela signifie qu'il faut envisager des solutions potentielles et cesser de diaboliser le problème lui-même.

Supposons un instant que les ragots et les médisances empoisonnent votre vie au bureau. Plutôt que de nourrir du ressentiment ou une frustration croissante face à ces cancans qui vous déplaisent, voyez si vous êtes capable de contribuer, même modestement, à ce qu'ils disparaissent. Réunissez quelques amis et abordez le sujet de front. Évitez de prendre un ton accusateur : axez-vous sur votre propre rôle en l'espèce. Avouez sans détour que vous êtes aussi coupable que les autres de vous être laissé aller à babiller et dites que vous voulez faire amende honorable. Invitez les personnes présentes à vous imiter, avec humour et sans recourir à la menace. Insistez sur les bienfaits que ce changement saurait apporter : un assainissement de l'ambiance générale, des relations plus cordiales entre les collaborateurs, une diminution de la tension qui prévaut actuellement, etc. Comme vous aurez fait le premier pas, les gens autour de vous saisiront au vol l'occasion que vous leur aurez offerte. Et même s'ils ne se corrigent pas d'emblée, vous aurez au moins pris les devants pour vous débarrasser d'une vilaine manie d'entreprise. Dans tous les cas, vous serez gagnant !

J'ai rencontré Sarah au service des cartes grises. Cette femme est la meilleure employée que je connaisse dans son registre. Les gens qui avaient affaire à elle quittaient le guichet le sourire aux lèvres et visiblement satisfaits. Elle se montrait amicale, courtoise et efficace. Je ne pus résister à l'envie de lui demander son secret. Elle me répondit :

— Pendant plusieurs années, je rembarrais les clients en leur expliquant que leur requête ne relevait pas de mes compétences, qu'ils devaient s'adresser à un autre service. En réalité, pour une bonne moitié des cas, je connaissais la réponse à la question posée et, même si je l'ignorais, j'aurais pu me montrer beaucoup plus secourable. Presque tous repartaient crispés, furieux contre moi ou ma mesquinerie de fonctionnaire.

« Un jour, j'en ai eu marre de ma propre attitude et j'ai décidé de changer. Aujourd'hui, dès que je le peux, j'épaule mes interlocuteurs au lieu de les envoyer paître ou patienter dans une autre file d'attente. Depuis que j'ai fait ce choix, tout va bien : les gens m'apprécient. Je me sens mieux dans ma peau et mon travail est bien plus amusant.

Vous le voyez, il suffit d'une étincelle.

13

Rejoignez le clan des sept jours

L e monde des affaires se scinde en deux clans. Le plus populaire, sans aucun doute, est le clan du vendredi. Pour en devenir membre, il suffit de se focaliser sur le week-end et de ne penser, toute la semaine durant, qu'à ce jour béni qui annonce l'arrivée du repos hebdomadaire. La plupart des gens qui y appartiennent sont assez stressés parce que, au final, ils n'apprécient que deux jours sur sept : le vendredi, bien sûr, et le samedi. Pour eux, même le dimanche est tendu parce qu'ils savent qu'ils retourneront au boulot le lendemain matin.

Le deuxième est nettement plus confidentiel, mais d'une certaine façon, ses membres brassent beaucoup plus d'air. Il s'agit du clan du lundi, dont les adhérents sont des bourreaux de travail qui ne souffrent pas l'inactivité que leur impose le week-end. Inutile de vous dire qu'ils charrient une quantité incommensurable de stress étant donné qu'ils considèrent que cinq jours ouvrables ne leur suffisent pas pour venir à bout de leurs tâches. Le vendredi les insupporte, parce qu'il annonce quarante-huit heures de désœuvrement forcé, souvent consacrées à se plier aux exigences de leur famille. Faut-il préciser que les adeptes de ces deux clans se jugent mutuellement bons pour l'asile ?

Je vous invite à rallier un groupe radicalement différent, dans l'espoir de voir sous peu la totalité des actifs s'y inscrire. En fait, je désire ardemment causer la disparition des deux clans précités ! Je milite donc en faveur du clan des sept jours. Ses membres sont heureux en permanence, car ils savent que chaque jour est unique et qu'il apporte son lot d'agréments. Ils croquent la vie à pleines dents, s'émerveillent des bienfaits de ce monde et espèrent que chaque lever de soleil s'accompagnera d'occasions en or.

Les conditions d'entrée ? Il n'y en a qu'une : la volonté de s'octroyer une meilleure qualité de vie. Le lundi suit inexorablement le dimanche, le vendredi surgit une fois par semaine, que cela vous plaise ou non. Il ne tient qu'à nous que chaque jour nous éblouisse.

Cela paraît simple, mais le désir de devenir membre de ce clan peut engendrer des changements substantiels dans votre attitude au travail, voire dans votre existence entière. Si vous vous levez le matin en vous disant ravi de la journée qui s'annonce, si vous comptez en profiter au mieux, vous aurez la surprise de vous trouver nettement moins stressé que de coutume. Ce revirement est le premier pas d'une démarche résolument positive. Le clan des sept jours est fait pour vous.

14

Ne vous laissez pas écraser
par un chef tyrannique

J'estime à une large proportion le nombre d'adultes qui ont travaillé ou travaillent pour un patron tyrannique. À l'instar des délais, des impôts ou des budgets, les chefs capricieux semblent un élément incontournable de la vie professionnelle de tout un chacun. Et même si, techniquement, vous ne travaillez pas sous les ordres de quelqu'un, vous rencontrez forcément des collaborateurs exigeants, des clients irascibles ou difficiles à satisfaire.

Comme pour chaque chose, il existe deux manières de gérer ce type de personnages. On peut s'en plaindre, leur casser du sucre sur le dos, souhaiter leur départ de toutes ses forces, fomenter en esprit des complots pour les évincer, prier pour qu'ils tombent malades et se sentir indéfiniment stressés à cause d'eux. Ou bien, on peut opter pour une voie différente et essayer, quoi qu'il en coûte, de ne pas perdre de vue les côtés positifs d'une telle relation.

Je dois avouer qu'il me fut difficile de faire mienne cette deuxième idée, puisque je déteste me sentir poussé à la tâche. Néanmoins, après m'être mesuré à quantité d'individus de cette engeance, j'ai pris conscience de plusieurs choses d'importance.

Premièrement, j'ai compris que les personnes exigeantes l'étaient avec tout le monde. En d'autres termes, il ne faut pas prendre leurs doléances pour une attaque personnelle. Avant de l'avoir perçu, je croyais que le ou la chef qui me harcelait voulait ma peau à moi. Je me sentais donc particulièrement visé par son comportement. Cela m'amenait à m'interroger sur les motifs secrets de sa hargne et j'en venais à me prouver que j'étais en droit d'en concevoir de la colère. Quand je rentrais chez moi le soir, je me plaignais à cette pauvre Kris, qui avait déjà entendu mes geignements maintes et maintes fois auparavant.

Mais un jour, la vérité m'apparut : cette personne s'était enferrée dans son rôle autoritaire et ne savait plus se comporter autrement.

J'en suis arrivé à accepter plus facilement ses sempiternelles requêtes, même si je préfère tout de même travailler pour ou avec des individus d'un autre acabit.

Il y a plusieurs années de cela, je dus collaborer avec un éditeur extrêmement exigeant pendant la rédaction d'un ouvrage. J'avais du mal à supporter son flot de directives et de critiques quand une amie me posa une question cruciale :

— T'est-il jamais venu à l'esprit que ces personnes ont le don de te pousser à dépasser tes limites et qu'elles t'aident à franchir un nouveau seuil de compétence ?

La chose ne m'avait pas effleuré avant de l'entendre formuler. Lorsque je jette un coup d'œil sur ma trajectoire professionnelle, je m'aperçois que la confrontation à des tempéraments difficiles fut l'élément qui m'amena à donner le meilleur de moi-même. Toutes mes aptitudes – de mon style littéraire à mes connaissances en informatique en passant par mes qualités oratoires – se sont enrichies au contact d'interlocuteurs exigeants, voire acrimonieux.

Le supérieur hiérarchique de Suzanne était un chef de la pire espèce. Selon cette jeune femme, il se montrait arbitrairement tyrannique avec tous ceux qui l'entouraient dans le seul but de se délecter d'un abus de pouvoir.

Suzanne n'était pas la seule victime de ses excès : il terrorisait ou repoussait l'ensemble des employés de la société. Allez savoir pourquoi, Suzanne eut la sagesse de voir au-delà de son ego démesuré ou de son comportement scandaleux. Dès que possible, elle cherchait à déceler le comique de la situation et, au lieu de lui vouer une haine féroce, elle tentait de s'abstraire de ses défauts pour se concentrer sur ses aptitudes professionnelles. Elle apprenait vite et, bientôt, le patron du teigneux remarqua la sérénité à toute épreuve de la jeune femme. Quelque temps plus tard, il lui accorda une promotion dans un autre département.

Quand je pris conscience que les personnes exigeantes avaient deux facettes – l'une positive, l'autre négative –, ma vie professionnelle se transforma du tout au tout. Avant, sur mes gardes, je redoutais la confrontation ; aujourd'hui, je suis ouvert à ce qu'elles ont à m'enseigner et je ne fais plus de leurs états d'âme une affaire personnelle. Les conséquences de ce changement sont prodigieuses : comme je suis moins ferrailleur, les despotes en puissance que je viens à croiser sont comme neutralisés et se révèlent d'un commerce plus agréable. Je vois à quel point mes réactions excessives face à ces personnes ont pu pourrir nos relations. J'ai donc réglé la part du problème dont j'étais responsable et j'ai été récompensé : ma vie est plus belle. Ne vous méprenez pas : je ne me pose pas en avocat des attitudes tyranniques ; je les condamne car elles sont négatives et irritantes. Mais j'ai fini par les relativiser et par ne pas en faire grand cas. Peut-être en serez-vous capable également.

15

Soyez attentif aux autres

Nous apprécions tous qu'on nous porte de l'attention. De même, la plupart des gens éprouvent de la rancœur ou sont simplement vexés quand on les ignore. Une lapalissade, sans doute, mais...

Comment marquer son intérêt pour autrui ? Répondre à un appel qu'on vous a passé. Remercier oralement ou par écrit l'expéditeur d'un pli. Louer les mérites d'un collaborateur. Accepter des excuses. Prendre en compte les bontés qu'on vous témoigne.

Rares sont ceux qui n'aiment pas qu'on leur prête attention. Nous apprécions tous d'être rappelés au téléphone, félicités pour notre travail, remerciés pour nos efforts, d'être reconnus pour notre créativité ou qu'on nous fasse sentir que nous sommes uniques.

Dennis, assureur, avait sous ses ordres une petite équipe d'une quinzaine de personnes. Ce n'était pas un être très expansif et il considérait comme normal le bon fonctionnement de son secteur. Il me confia un jour :

— Avant, je me disais que les gens devaient s'estimer heureux de ne pas pointer au chômage. S'ils faisaient leur boulot correctement, la satisfaction d'avoir un salaire qui tombait à la fin du mois devait amplement leur suffire.

Je l'encourageais à adopter une position plus généreuse, plus aimante même sur le sujet. Cela ne se fit pas du jour au lendemain, mais il y parvint, de la façon la plus sincère qui soit.

Quand il regarde en arrière, il reste incrédule face à son intransigeance passée.

— Tous ceux qui travaillaient pour moi étaient terrorisés et inquiets et nul ne se sentait estimé à sa juste valeur. Quels progrès depuis ! Aujourd'hui mes salariés ont le cœur léger, semblent heureux, moins anxieux et plus loyaux qu'autrefois. Je crois qu'ils commencent à me pardonner, mais il faudra que de l'eau coule sous les ponts pour qu'ils oublient complètement ce que je leur ai fait subir. J'ai appris que j'ai autant besoin d'eux qu'ils ont besoin de moi.

Nous devons prêter attention aux autres, non seulement pour en obtenir quelque chose en retour, mais parce que cela leur procure aussi une sensation de bien-être. Je dois vous signaler que l'effet boomerang d'une bonne action ne se fait jamais attendre. Il est certes difficile à quantifier mais je suis certain que tant sur le plan professionnel que dans ma vie privée cette attitude a joué un rôle crucial dans ma réussite. J'ai écrit des centaines de lettres de remerciement et passé des milliers de coups de fil juste par respect pour mes correspondants. Je sais que je ne suis pas infaillible et qu'il m'arrive d'en oublier. En tout cas, je me suis fait un point d'honneur de m'y efforcer en toutes circonstances. On m'a remercié à d'innombrables reprises pour avoir été le seul à avoir pris la peine de saluer des initiatives ou des gestes divers.

Les gens se rappellent l'attention qu'on leur porte et ils en retirent un plaisir certain. Lorsque vous aurez à votre tour besoin qu'on vous donne un conseil, qu'on vous rende service, le fait que vous ayez jadis su reconnaître les mérites d'autrui sera à votre crédit. Les membres de votre entourage seront plus enclins à vous pardonner, dans la mesure où vous aurez été attentif à leur égard. Ils ignoreront vos défaillances et vos erreurs et prendront votre défense de bon cœur. Au bout du compte, cela diminuera votre stress et vous facilitera la vie. Alors pensez-y : quelqu'un, au bureau, mérite-t-il des éloges ? Si oui, qu'est-ce qui vous empêche de lui en faire ?

16

Ne faites attendre personne

Pour dominer mon stress j'évite, dès que possible, cette sale manie de faire attendre autrui. Le temps est une denrée précieuse pour tout un chacun. C'est même, aux yeux de certains, leur plus grand luxe. Faire languir des gens est le plus sûr moyen de les courroucer. Certes, beaucoup vous pardonneront quelques minutes de retard, mais une attente prolongée dénote un manque de respect et d'attention. Cela signifie en substance que vous estimez que votre temps importe plus que celui de vos interlocuteurs. Arrêtez-vous sur la portée de cette idée. Pensez-vous réellement que le temps des autres vaut plus que le vôtre ? J'en doute. Ne croyez-vous pas que tout le monde partage ce point de vue ?

Nul n'aime lanterner, nous le savons tous. C'est pourquoi faire attendre quelqu'un nous inquiète autant : notre désinvolture déçoit la personne qui patiente. Cette dernière est bien sûr en train de lorgner sa montre à intervalles réguliers, se demande où vous êtes et s'interroge sur le motif de votre retard. En lui faisant faux bond ou en la retenant à votre bureau, vous l'empêchez d'honorer un rendez-vous personnel ou professionnel important, ce qui suscite sa colère ou son ressentiment.

Il existe évidemment des exceptions à la règle, des moments où des impondérables vous empêchent d'arriver à temps. Personne ne peut se vanter d'y avoir échappé. Mais soyons honnête : la plupart du temps, on peut éviter d'arriver en retard. On devrait planifier, s'allouer une marge de quelques minutes, tenir compte des imprévus ; au lieu de cela, on part toujours sur le fil du rasoir. Résultat : on court et l'on se fait désirer. On débite ensuite des excuses éculées – les embouteillages, les problèmes de transport en commun, un importun envahissant... Autant d'obstacles toujours prévisibles et dont on aurait pu tenir compte au moment de se mettre en route. Invoquer ce genre de prétextes n'impressionnera pas votre victime, guère encline à la compassion. Cela risque même de jeter de l'ombre sur la qualité de votre travail, même si les deux choses n'ont objectivement pas de rapport.

Si j'étais vous, je ne sous-estimerais pas les dommages que peut causer une telle légèreté. D'aucuns s'en offusquent, d'autres en prennent ombrage ou en perdent leur sang-froid. Et même s'ils ne vous font pas part de leur frustration oralement, leur rancœur se manifestera par d'autres biais : ils vous prendront moins au sérieux, vous fuiront comme la peste, vous manqueront de respect, préféreront la compagnie de vos collègues et... arriveront en retard aux entrevues convenues avec vous.

Même si vous avez pu atténuer les conséquences néfastes de votre retard, vous en subirez personnellement les effets délétères. Quand on est à la traîne, on fulmine. On est pressé, impatient de rattraper le temps perdu. On a du mal à se concentrer sur l'instant présent, absorbé qu'on est par la réunion qu'on risque de manquer. L'esprit bouillonne de pensées allant de « que va-t-il m'arriver ? » à « je suis incorrigible ».

Lorsqu'on est à l'heure, au contraire, on évite tout ce stress. Vos relations ne vous le diront peut-être pas, mais elles apprécieront votre ponctualité. Elles ne penseront pas que vous leur manquez de respect. Votre réputation bénéficiera de cette marque d'attention dispensée à votre entourage. Vous cesserez de vous dépêcher et disposerez de temps pour réfléchir.

Quelques-unes de mes idées les plus créatives me sont venues entre deux rendez-vous, dans un moment salutaire de répit et de calme. J'ai ainsi réussi à élaborer des solutions constructives, à envisager des angles intéressants pour mes livres ou mes conférences. Si j'avais été pressé par le temps, mon esprit n'aurait pas été si fécond. Essayez cette stratégie : elle transformera votre vie.

17

Injectez du spirituel dans votre travail

J'ai suggéré à maintes reprises que l'on fasse la part belle au spirituel dans son existence et je me suis vu répondre que les responsabilités professionnelles grignotaient trop de temps pour qu'on y parvienne.

Injecter une forme de spiritualité dans son activité signifie intégrer autant que faire se peut l'essence de sa personne et de ses convictions dans ses besognes quotidiennes, c'est-à-dire rompre la dichotomie qui s'instaure si souvent entre les impératifs de son gagne-pain et sa vie intérieure. En d'autres termes, si la bonté, la patience, l'honnêteté et la générosité sont des valeurs qui vous tiennent à cœur, vous devez tout faire pour les mettre en pratique au bureau. Témoignez du respect vis-à-vis des gens. Soyez patient en cas de retard. Même si réprimander vos collaborateurs ou vos subordonnés est inhérent au poste que vous occupez, tâchez d'émettre vos remarques avec douceur et considération. Offrez autant que possible votre temps, votre argent, vos idées et votre amour.

D'une certaine manière, vous vous apercevrez que le travail est l'environnement idéal pour exercer sa spiritualité. Tous les jours, l'occasion vous est donnée de vous montrer attentif, bienveillant, compréhensif et clément. Vous appréciez autrui, souriez à votre entourage et exprimez, le cas échéant, votre reconnaissance. Baissez votre garde et prêtez une oreille amicale à vos collègues. Efforcez-vous d'éprouver plus de compassion, surtout avec des gens agressifs ou peu aimables. Vous découvrirez une multitude de champs d'application possibles, allant de la façon dont vous saluez ceux qui vous côtoient à celle dont vous réglez les conflits, en passant par vos arguments de vente ou votre capacité à faire coïncider éthique et affaires.

Grace, agent littéraire, a brillamment réussi, à mon sens, à faire sienne cette stratégie. Sa philosophie ? La non-violence, l'intégrité et un amour inconditionnel pour toutes les créatures. Je ne l'ai jamais vue enfreindre ses principes. Elle refuse les ouvrages qui ne concordent pas avec ses valeurs, même si elle se prive ainsi d'une source de revenus notable. Elle m'a dit plus d'une fois :

— Mon âme n'est pas à vendre. Quand je me regarde dans le miroir le matin, je suis fière de ce que j'y vois et je sais qu'on peut me faire confiance.

Grace se sent bien dans sa peau parce qu'elle reste conforme à elle-même en toutes circonstances. C'est le genre de personne que j'admire et que j'aime fréquenter.

Ce type de démarche est formidablement enrichissant. Vous parvenez à vous abstraire de contingences terre à terre. Vous replacez vos problèmes dans un contexte beaucoup plus large. Vous ressortez grandi de toutes les situations au lieu de vous sentir dépassé ou impuissant. Si vous devez passer par une entrevue difficile, renvoyer un employé par exemple, vous pourrez le faire sans occulter votre part d'humanité. Dans le sens inverse, si vous subissez un revers ou que vous perdez votre place au sein d'une entreprise, vous serez apte à dépasser le choc du moment et à surmonter ces instants pénibles, qui, sans disparaître comme par enchantement, deviendront plus faciles à gérer.

Cette stratégie est encore le meilleur moyen pour que les brouilles restent des brouilles... Les détails qui, jadis, mettaient vos nerfs à rude épreuve glisseront dorénavant sur vous. Avec ce recul salutaire, vous serez en mesure de progresser et de rester concentré. Résultat : le succès sera à portée de main.

18

Égayez votre cadre de travail

J'aurais souhaité inclure une photographie de mon bureau dans ce livre. C'est un espace clair, accueillant, cordial et serein. En fait, il respire tant le bonheur qu'il est quasiment impossible d'y déprimer. La plupart des gens qui y entrent en tombent aussitôt amoureux et ils se sentent nettement mieux quand ils en sortent. Pourtant, je vous assure que cette pièce n'a rien d'extraordinaire et que je n'ai pas dépensé de sommes extravagantes pour la décorer.

Des poissons tropicaux évoluent dans un aquarium, des portraits de mon épouse et de nos filles trônent sur le bureau et des dessins des petites que j'ai fait encadrer ornent les murs. Je les change régulièrement et je ne jette jamais les anciens, que je range soigneusement dans un classeur bien en évidence. Chaque semaine, je garnis un vase de fleurs fraîches colorées et odorantes. Mes ouvrages préférés remplissent ma bibliothèque. Ma fenêtre donne sur une mangeoire où les moineaux viennent souvent picorer. Mes filles m'ont fait cadeau de quelques poupées et peluches qui me tiennent compagnie. Ma préférée est un hippopotame prénommé Happy.

Je sais que la plupart des gens n'ont pas le luxe, ni le loisir de refondre leur bureau en « QG du bonheur ». Je n'ignore pas non plus que le mien, qui me convient fort bien, ne plaît pas ou ne sied pas à d'autres. Je le comprends fort bien. Cependant, quand je me rends sur le lieu de travail de certaines connaissances, il me suffit d'un seul coup d'œil sur leurs quatre murs pour trouver l'une des origines de leur mal-être : tout est gris, froid, lugubre, et stéréotypé. Rien – ni chaleur, ni couleur, ni relief – ne vient rompre avec cette déprimante monotonie.

Égayer ce cadre ne vous débarrassera pas de la totalité de votre stress et n'est sans doute pas primordial pour vous amener à cesser de vous noyer dans un verre d'eau. Toutefois, reconnaissez que vous passez un temps non négligeable au travail. Pourquoi ne pas investir un tant soit peu d'argent et d'énergie pour l'agrémenter ? La moquette que m'avaient léguée les anciens propriétaires de mon bureau était mince, laide et terne. Pour une somme modique, je l'ai remplacée par un charmant tapis à la texture agréable. Si je ne conserve ce bureau que cinq ans, mon investissement ne m'aura coûté que quelques centimes par jour. J'ai constaté que, dans les autres locaux professionnels de mon immeuble, j'étais le seul à avoir enjolivé ainsi l'espace que j'occupais. Dois-je en déduire que rares sont ceux qui s'estiment assez pour rehausser leur environnement quotidien ?

Si vous n'êtes pas très habile de vos mains, ou que vous n'avez pas un sens inné de l'esthétique, n'hésitez pas à demander le concours de votre conjoint, d'un ami, d'un collègue ou même d'un enfant ! Vous serez surpris : la transformation se fait en un clin d'œil. Il suffit de quelques clichés d'êtres chers, d'un tapis aux teintes chatoyantes, d'un bouquet de fleurs, de poissons rouges, d'une plante verte, et le tour est joué ! Un dessin d'enfant influe considérablement sur votre humeur. Pourquoi ne pas demander à une jeune maman, ou à un jeune papa, de vous prêter l'œuvre de son tout-petit ? Et même si votre métier vous impose de ne pas quitter votre voiture ou votre poids lourd, il existe mille et une manières de rendre l'habitacle d'un véhicule moins austère.

Dans un de ses sketches, l'acteur Steve Martin explique qu'il est impossible de se sentir triste quand on accompagne au banjo une chanson évoquant la mort. La sonorité enjouée de cet instrument est inconciliable avec le chagrin. Cette image vaut également pour son lieu de travail : on est beaucoup plus enclin à la joie et au bien-être, quand le théâtre de ses activités invite au plaisir et au bonheur.

19

Faites des pauses

A u début de ma carrière, j'avais pris la fâcheuse habitude de ne jamais faire de pause pendant la journée. J'en rougis encore lorsque j'y pense aujourd'hui, mais à l'époque je jugeais que ces moments de répit étaient de détestables pertes de temps. Je croyais que, à moins que cela ne fût impératif, je gagnerais des heures précieuses en me passant de déjeuner ou de café pendant la journée. Je travaillais donc sans relâche, convaincu que j'étais de la justesse de mon choix.

Il y a quelques années, j'ai fini par comprendre que faire l'impasse sur ces coupures revient non seulement à commettre une grave erreur mais en plus à réduire son rendement. Bien qu'on ne le sente pas sur le coup, la frustration vous gagne peu à peu. Patience, attention et concentration déclinent. À terme, le cumul de ces heures prétendument « non gaspillées » entame notre équilibre. On se fatigue beaucoup plus vite, et bientôt les rouages du cerveau ralentissent.

Je me suis aperçu, pour l'avoir étudié, que, si je ne m'octroie pas des intervalles de récréation réguliers, une peccadille qui me laisse indifférent en temps normal m'agace prodigieusement. Mon seuil de patience s'abaisse et mon enthousiasme s'émousse. Je fais de taupinières des montagnes plus souvent qu'à l'accoutumée. Certes, la résistance de chacun varie, et il appartient à tous les individus de déterminer leurs besoins en fonction de leurs capacités et de leur rythme personnels. Mais sachez que s'accorder une interruption, qu'on en éprouve la nécessité ou non, est grandement bénéfique sur le plan intellectuel et sur le plan physique.

Il ne s'agit pas de s'arrêter en plein élan ou au beau milieu d'un travail, ni même de cesser tout ouvrage pendant longtemps. Quelques minutes suffisent amplement à faire le vide, respirer, s'étirer ou prendre un bol d'air. Si vous en prenez l'habitude – une fois toutes les deux heures, par exemple –, vous vous remettrez à la tâche avec bien plus d'entrain, plus concentré et plus performant. C'est une manière de remettre les compteurs à zéro et de repartir du bon pied. En ce qui me concerne, ces pauses me donnent un regain d'énergie et de créativité.

Il m'arrive aussi d'oublier de m'interrompre. Je reste alors rivé à mon siège plusieurs heures d'affilée à rédiger un chapitre ou à peaufiner un projet. Quand enfin je me lève, j'ai les membres gourds et je suis fourbu. Et soudain tout s'éclaire : zut ! je n'ai pas fait relâche ! La plupart du temps, je m'aperçois que la qualité de mon travail s'en ressent.

Cette stratégie confirme l'idée selon laquelle le plus est souvent l'ennemi du bien. Si je m'abstiens de m'affairer pendant quelques instants toutes les heures, je gagne en efficacité, en fraîcheur et, au final, j'abats plus de boulot. Et grâce à toutes les forces que je préserve au quotidien, je m'assure une vie professionnelle plus longue.

Je crois qu'il est grand temps que je prêche par l'exemple. En guise de conclusion à ce conseil, je vous annoncerai donc que je vais faire une pause. Peut-être le moment est-il venu pour vous d'en faire autant...

20

Ne prenez pas pour vous la règle des 20 %

On s'accorde pour dire que, dans la plupart des secteurs d'activité, vingt pour cent des salariés abattent quatre-vingts pour cent du travail. Lorsque je suis d'humeur cynique, il m'arrive de croire que cette proportion est largement inférieure à la réalité !

On constate que les plus productifs ou les plus travailleurs d'entre nous ne comprennent pas que leurs contemporains ne cherchent pas davantage à les imiter. Ils trouvent frustrant de collaborer avec des êtres qui, à leurs yeux, sont moins prolifiques qu'eux. Pour une raison ou pour une autre, ils s'en offusquent à titre personnel.

J'ai noté que beaucoup de bourreaux de travail ne se rendent pas compte de la quantité de tâches qu'ils effectuent : ils estiment au contraire qu'ils fournissent le minimum d'effort nécessaire pour réussir ou pour boucler un dossier. Leur étonnement à l'égard de la « désinvolture » de leur entourage est sincère. Un voisin protesta même un jour quand je remarquai l'énergie qu'il déployait dans son entreprise :

— Je ne suis pas un forçat ! s'exclama-t-il. Ce sont les autres qui ne font pas leur boulot !

Je le connaissais suffisamment pour savoir que Jim n'était pas un homme arrogant. Il m'avait juste livré son sentiment profond, sans chercher à dénigrer ses collègues. Il pensait vraiment que la plupart des actifs ne mettent pas assez de cœur à l'ouvrage ou n'exploitent pas leur potentiel à sa pleine mesure. Si, comme lui, vous tenez ce postulat pour vrai, la vie vous réserve d'innombrables sources d'irritation. Vous êtes programmé pour remarquer les failles de vos proches ou de vos collègues et pour déceler tout ce qui ne tourne pas rond. Vous voyez l'univers en termes de déficiences.

Peut-être votre vision des choses n'atteint-elle pas de tels abysses de noirceur. Mais si votre carte du monde se borne à mesurer la productivité de vos semblables, prenez garde. Vous risquez fort d'oublier que les gens ne partagent pas les mêmes priorités, le même credo professionnel, les mêmes talents ou tempéraments que vous. Les modes de travail et la vitesse d'exécution varient d'un individu à l'autre. En outre, le rendement est également une donnée subjective, que chacun évalue à sa manière.

Cessez donc de vous polariser sur le nombre de choses que votre entourage ne fait pas. Concentrez-vous plutôt sur ce que vous apporte votre propre productivité – aux niveaux financier, personnel, émotionnel et spirituel. Autrement dit, reconnaissez que votre taux de rendement est un choix et que vous en recueillez les fruits. Avouez que cela vous confère une bonne opinion de vous-même. Peut-être les retombées financières sont-elles appréciables ou peut-être la motivation que vous retirez de tant de labeur agit-elle en stimulant votre organisme et vous donne-t-elle des ailes. Peut-être aussi vous êtes-vous assuré un avenir radieux ou garanti une promotion imminente. Enfin, peut-être ce travail acharné vous permet-il de gérer une anxiété latente qui vous rongerait si vous étiez moins débordé. En clair, ce sont ces avantages potentiels qui vous galvanisent. Par conséquent, vous n'êtes en aucun cas victime de ceux et celles qui optent pour une attitude différente de la vôtre ou qui, quelle qu'en soit la raison, vous paraissent moins bûcheurs.

Pour remettre ce sujet en perspective, je vous conseille de réfléchir à votre propre éthique professionnelle, au rythme de travail que vous affectionnez et à votre efficacité. Posez-vous les questions suivantes : définissez-vous votre efficacité au regard de ce que l'on attend de vous ? Cherchez-vous, par votre frénésie, à frustrer votre entourage ou à l'irriter ? La réponse est évidente : bien sûr que non ! Vos choix résultent de la combinaison de votre cadence personnelle et des objectifs que vous souhaitez atteindre. Bien que l'on puisse exiger de vous certaines performances, votre seuil de productivité découle, en réalité, de vos seules décisions.

Mais cette règle est valable pour tout le monde. Chacun d'entre nous décide de la quantité d'efforts à fournir ou de temps à accorder à tel ou tel ouvrage, après avoir soigneusement pesé le pour et le contre et médité les bénéfices à récolter.

Peut-être votre palier optimal de productivité est-il fonction du concours actif de divers intervenants – collègues, collaborateurs, subordonnés, fournisseurs, sous-traitants. Je ne préconise pas de réduire vos exigences pour couvrir l'inefficacité des uns ou des autres. Je vous propose en revanche d'appréhender autrement ces divers degrés de productivité. Si vous vous y intéressez de manière constructive, ils ne vous heurteront plus. Avec le recul, je me suis aperçu que j'en arrive à faire jaillir le meilleur des gens sans attiser leur ressentiment.

Je vous encourage vivement à méditer sur votre volonté de forger les autres à votre image. Vous finirez par apprécier les particularités de chacun ainsi que leurs méthodes de travail. Vous serez en paix avec vous-même et nettement plus détendu.

21

Dressez une liste de vos priorités personnelles

A vertissement : cette stratégie invite à l'humilité, mais, au bout du compte, se révèle très précieuse. Il s'agit ici d'examiner avec soin tout ce qui vous tient le plus à cœur. Après y avoir réfléchi, couchez vos idées par écrit et mettez cette feuille de côté pendant une ou deux semaines.

Votre liste pourrait fort bien ressembler à ceci :

1. Lire pour le plaisir
2. Faire de l'exercice
3. Consacrer quelques heures à du bénévolat
4. Passer des moments en famille ou avec des proches
5. Méditer
6. Faire une virée en rase campagne
7. S'organiser
8. Rédiger un journal intime
9. S'essayer à une activité nouvelle
10. Manger sain
11. Voyager.

Après quelque temps, prenez votre liste et parcourez-la. À présent, rappelez-vous les quinze jours passés. Qu'avez-vous fait, sinon travailler ? Si vous avez agi conformément aux souhaits exprimés, vous méritez une salve d'applaudissements ! Vous appartenez à une infime minorité de gens, et je vous engage vivement à poursuivre dans cette voie. D'après moi, vous devez être content de votre sort, et cette satisfaction générale déborde sur votre vie professionnelle.

Si toutefois vous vous apercevez que votre temps a été employé autrement qu'aux souhaits exprimés dans votre liste, vous avez du pain sur la planche. Rares sont ceux qui parviennent à faire du sport ou à se consacrer aux plus démunis. À des degrés divers, nous négligeons les activités qui revêtent à nos yeux une grande importance, et nous leur en préférons d'autres, qui paraissent plus urgentes ou plus commodes. Malheureusement, la vie ne nous fera pas de cadeau : elle ne nous offrira pas un supplément de temps pour nous acquitter de ces devoirs ou de ces loisirs que nous délaissons. Si nous ne les érigeons pas en priorités, inutile de nous lamenter : nous resterons sur notre faim.

Un de mes amis m'a donné une leçon pertinente que j'espère ne jamais oublier. Elle tenait en quelques mots empreints de sagesse et de bon sens :

— Dans la vie, on est toujours jugé par ses actions et non par ses paroles.

Cela signifie que j'aurai beau répéter à qui veut l'entendre que ma famille m'est indispensable, établir des listes avec les meilleures intentions du monde ou présenter les excuses les plus sincères qui soient, cela ne servira à rien. Si je consacre mes loisirs à laver ma voiture, boire dans des bars ou à regarder la télévision, on peut raisonnablement croire que mon auto, la bière et le petit écran sont les grandes passions de mon existence.

Ne vous méprenez pas : je ne condamne en rien ce type de distraction. Je vous alerte sur le fait qu'il faut admettre ce à quoi l'on a occupé son temps. Une fois encore, il se peut également que, à un moment précis, faire rutiler son véhicule ou se délasser devant son poste ait la préséance sur toutes les autres activités.

Je fais référence ici à des habitudes récurrentes. Je pense que vous voyez d'ores et déjà à quel point cette stratégie peut contribuer à améliorer votre qualité de vie. Lorsqu'on travaille dur, qu'on est surmené, éreinté ou dépassé par les événements, on a tendance à reporter ou à omettre ses véritables devoirs. On est tellement pris par la routine qu'on finit par ne jamais s'octroyer de temps pour faire les choses qui ont le pouvoir de vous ressourcer. Cela se traduit par une frustration grandissante, aussi bien au bureau que chez soi.

Dès que vous aurez pris conscience de ce cercle vicieux, vous verrez : y remédier est un jeu d'enfant. Commencez par des changements mineurs. Lisez quelques minutes avant de vous endormir, levez-vous un peu plus tôt pour vous remuer, méditez ou plongez-vous dans un bon roman. Les exemples foisonnent. Rappelez-vous : c'est vous, et personne d'autre, qui avez rédigé cet inventaire de priorités. Et vous êtes sans doute capable de leur donner corps. Allez-y, dressez votre liste aujourd'hui même : c'est le premier pas vers un nouveau départ.

22

Utilisez l'écoute comme un réducteur de stress

Dans la plupart de mes précédents ouvrages, j'ai abondamment traité de la nécessité d'écouter son entourage. La raison pour laquelle j'insiste tant sur ce thème est que, à mon avis, l'attention est un des ingrédients majeurs qui concourent à la réussite, tant dans la sphère privée que professionnelle. Malheureusement, nous sommes nombreux à ne pas exceller dans ce domaine. Or, remédier à cette défaillance se révélerait rentable sur bien des plans : les relations humaines s'en trouveraient enrichies, les performances améliorées et les facteurs de stress réduits !

Penchez-vous un instant sur vos propres facultés d'écoute. Prêtez-vous vraiment une oreille attentive à vos collègues ? Les laissez-vous défendre leurs idées jusqu'au bout avant d'exprimer les vôtres ? Vous arrive-t-il de terminer les phrases de vos interlocuteurs ? Vous accordez-vous le temps de méditer les paroles d'autrui ou intervenez-vous incontinent, persuadé d'avoir saisi sa pensée ? Se poser de telles questions ou d'autres du même ordre est en soi grandement bénéfique. La plupart des gens que j'ai soumis à ce petit interrogatoire (moi y compris) avouent devoir parfaire leur conduite.

Les raisons pour lesquelles savoir écouter son entourage revient à réduire son stress sont multiples. Premièrement, les personnes que l'on sait attentives sont respectées et appréciées. D'ailleurs, croiser ce type d'individus est un phénomène si rare que, lorsque la chance les met sur votre route, vous vous sentez d'emblée à l'aise et heureux. Leurs collaborateurs sont ravis de les côtoyer au quotidien, car ils ne se fourvoient jamais dans ces errements qui pourrissent la vie de bureau. Leur compagnie est si agréable qu'on a spontanément envie de leur venir en aide en cas de coup dur. Voilà pourquoi, si vous tentez de les imiter, vous aurez le plaisir de voir quantité de gens vous offrir leurs services. Il n'y a pas là grand mystère : on aime les tempéraments attentifs parce que ceux qui en sont dotés témoignent estime et reconnaissance à leur prochain.

Deuxièmement, développer ce type de qualité vous aide à comprendre votre vis-à-vis à peine son opinion formulée. Dans quel but ? Afin d'éviter les malentendus et les quiproquos qu'une écoute dilettante est susceptible de causer, ainsi que les tensions relationnelles qui s'ensuivent. N'oubliez pas que, dans la liste des griefs principaux que nourrissent nos contemporains à l'égard de leurs semblables, la sourde oreille décroche la première place !

Troisièmement, l'attention élimine le risque de commettre des impairs vexants ou de lourdes erreurs, ce qui s'avère un gain de temps notable. Songez seulement aux heures que l'on gaspille à faire amende honorable ou à corriger le tir quand, faute d'avoir digéré des directives ou des remarques jusqu'au bout, on a froissé un collègue ou manqué une affaire.

Pour peu qu'on la mette en œuvre, cette stratégie a des effets immédiats. Cela vous demandera sans doute un effort, mais elle en vaut la peine. Vos proches se sentiront bientôt plus à l'aise avec vous, sans pouvoir pour autant en déterminer la raison. De surcroît, vous gagnerez en calme et en sérénité.

23

Liez-vous d'amitié avec les standardistes

Il y a quelque temps, j'attendais un ami à l'entrée d'un grand immeuble de San Francisco, quand je fus témoin d'une série d'événements dont la nature me frappa au point que je décidai de vous la relater par le menu : elle a tout à fait sa place dans le présent ouvrage.

Un homme fit irruption et aboya, d'un ton peu amène et comminatoire :

— Des messages ?

La réceptionniste leva les yeux et lui sourit.

— Non, monsieur, répondit-elle d'une voix agréable.

— Appelez-moi dès que mon rendez-vous de 12 h 30 sera arrivé ! Pigé ?

Après ces quelques paroles proférées comme une menace, il s'éloigna à pas vifs.

Une minute plus tard, une femme apparut, qui s'enquit des messages laissés en son absence. Elle salua gentiment la standardiste et lui demanda comment se passait sa journée. La jeune fille lui sourit et la remercia de cette marque d'attention avant de lui remettre une liasse de fiches. Elles échangèrent quelques propos que je n'entendis pas et éclatèrent de rire à une ou deux reprises. La femme remercia la réceptionniste et s'en retourna à son bureau.

Je suis toujours choqué par le manque de considération courant dont on abuse à l'encontre des standardistes. Quel manque de discernement cela suppose ! Les nombreux employés que j'ai interviewés au fil des ans m'ont confié qu'ils (ou elles) ne réservaient pas le même accueil à tous les membres de l'entreprise dans laquelle ils travaillaient. C'est bien normal : ces personnes disposent d'un grand pouvoir et les traiter avec amabilité peut être profitable. Un zeste d'amabilité – ce n'est pas trop demander, n'est-ce pas ? – vous assurerait des sourires quotidiens. En outre, sachez qu'un réceptionniste peut vous rendre bien des services : intercepter vos appels quand vous avez besoin d'être au calme, vous rappeler des réunions ou des rendez-vous importants, attirer votre attention sur des problèmes latents, vous aider à fixer vos priorités, etc.

J'ai vu des standardistes protéger des collègues de pressions inutiles ou les aider à éviter de commettre des fautes graves. J'ai connu une jeune femme qui a même quitté son poste au milieu de l'après-midi et dévalé la rue pour rappeler à un cadre une entrevue qu'il n'avait pas notée sur son agenda. Ce dernier m'a rapporté par la suite qu'il avait crié sur tous les toits que Jenny était l'héroïne du jour, qu'elle lui avait permis de sauver la mise et alla jusqu'à dire que, sans elle, il aurait perdu son emploi. Jenny quant à elle m'expliqua que Paul et elle n'étaient pas amis, mais que c'était un homme délicieux et toujours poli. Quand je lui demandai si son sprint sous les rayons cuisants du soleil était uniquement dû au caractère affable de Paul, elle me répondit par l'affirmative.

L'inverse est hélas tout aussi vrai : quand quelqu'un s'estime méprisé ou ignoré, il est enclin à laisser son amertume transparaître dans ses actes. Voilà pourquoi certains messages ne sont jamais transmis à leurs destinataires ou que des dossiers passent mystérieusement à la trappe.

Bien sûr, certains mettent de côté leur amour-propre et parviennent à faire leur travail en toutes circonstances. Examinez les choses sous l'angle du réceptionniste. Il centralise les appels de toute la société, note les messages de la plupart des employés ou des dirigeants et assume par ailleurs des responsabilités diverses. Sur tout lieu de travail, il y a une poignée d'individus fort sympathiques, une majorité de gens plaisants et une minorité franchement désagréables. N'est-il pas évident qu'il est dans votre intérêt de vous montrer courtois et aimable avec le ou la standardiste de votre bureau ? La cordialité – ou la politesse, à tout le moins – est un puissant moteur qui peut inciter la personne qui occupe ce poste stratégique à dépasser le cadre strict de ses fonctions pour vous épauler.

Attention : je ne vous suggère pas de vous lier avec un standardiste de manière bassement intéressée. Si vous le faites, ce sera uniquement parce que entretenir des rapports chaleureux avec un collègue illumine votre journée. Qui plus est, d'un point de vue strictement professionnel, une telle démarche se révèle utile et ne coûte pas grand-chose. Je vous suggère donc de considérer que votre standardiste est un partenaire clé dans votre carrière. Adressez-vous à lui avec respect et estime. Soyez gentil, sincère, patient, courtois. Remerciez-le systématiquement lorsqu'il vous rend service. Vous vous figurez sans peine le stress et les diverses contrariétés que peut engendrer une information non transmise au moment opportun. C'est justement à votre réceptionniste qu'il échoit d'empêcher ce genre d'incident de survenir. Ne serait-il pas sage de lui offrir un petit cadeau de Noël, en gage de votre reconnaissance ? Une attention judicieuse, dont il serait bon de faire bénéficier la plupart de ceux qui occupent des postes injustement qualifiés de subalternes – gardiens, jardiniers, cuisiniers, femmes de ménage, etc.

Si vous n'êtes pas en bons termes avec votre standardiste, n'attendez plus, faites ami ami dès demain matin.

24

Rappelez-vous le dicton :
on n'attrape pas les mouches avec du vinaigre

Lorsque quelqu'un houspille son collègue, lui tient la dragée haute, cherche sciemment à l'intimider, se montre mesquin ou manipulateur, j'ai envie de lui rappeler la sagesse d'un vieux dicton populaire : on n'attrape pas les mouches avec du vinaigre. En clair, cela signifie que la gentillesse a des retombées avantageuses. Il va sans dire que, quelquefois, l'agressivité est payante. Mais à la longue, les coups de griffes génèrent l'inverse du résultat escompté.

Lorsqu'on est aimable, aimant et patient – c'est-à-dire juste, attentif et prévenant –, les amis et les collègues alentour le perçoivent, apprécient votre compagnie et vous font spontanément confiance. Ils s'allient avec vous, vous confient les secrets de leur réussite et sont disposés à vous épauler. Ils retirent une grande joie de vos propres victoires, vous pardonnent vite et vous accordent le bénéfice du doute. S'ils parlent de vous en dehors de votre présence, c'est en termes positifs et sympathiques. Un être agréable attire ses semblables vers lui comme le miel les mouches !

C'est triste à dire, mais l'inverse est tout aussi vrai. Une propension à la tyrannie ou à l'acrimonie étouffe le reste de vos qualités. De surcroît, la hargne que vous manifestez vis-à-vis des autres se retourne contre vous et augmente votre stress. Si vous ne la corrigez pas, vous risquez fort de vous retrouver seul. Vos dents rayent le parquet ? Vous jouez des coudes pour accéder au sommet ? Il n'y a rien d'étonnant, alors, à ce qu'on vous évite comme la peste.

En ce qui me concerne, certaines des décisions que je prends dans le cadre de mes activités sont motivées non par les économies que je pourrais faire, la qualité inégalée d'un service ou le montant de mes émoluments mais en fonction de l'aménité de mes interlocuteurs. Quand je suis l'impulsion de mon cœur et que je m'entoure de grandes âmes, le résultat est toujours positif. Les gens qui m'apprécient améliorent ma réputation et mes partis pris professionnels sont couronnés de succès. Jusqu'à présent, mon flair ne m'a jamais fait défaut.

D'ailleurs, bon nombre de dirigeants se sont juré de ne jamais plus faire appel à tel ou tel sous-traitant au motif que ce dernier, bien que compétent, était un individu imbuvable.

Chelsea est une vendeuse travailleuse et dévouée qui allie à son professionnalisme une générosité et une candeur à toute épreuve. Comme chacun sait, les métiers de la vente sont souvent éprouvants et ceux qui les exercent ne connaissent que trop bien les horaires harassants, les journées interminables, en particulier le week-end ou à l'approche des fêtes de fin d'année.

Lorsque Chelsea fit ses débuts sur le marché du travail, elle se promit qu'elle ne se départirait jamais de sa bonté naturelle. Aussi se proposait-elle souvent pour remplacer des collègues retenus par des impératifs personnels.

Un beau jour, Chelsea se vit offrir la possibilité de faire un voyage exceptionnel : un tour de l'Europe qui devait se prolonger deux mois. Une telle durée mettait en péril l'emploi de la jeune femme et la perspective de redémarrer de zéro à son retour ne l'incitait guère à partir en vacances.

Mais sa réputation au sein de l'entreprise lui permit de prendre ce congé exceptionnel sans perdre sa place. L'ensemble de ses collègues volèrent à son secours et se déclarèrent prêts à répartir entre eux ses heures de service pour éviter que leur patron ne la licencie. Ce geste désintéressé et généreux lui tira des larmes de bonheur.

Je crois que cette stratégie mérite toute votre attention, même si vous êtes d'un naturel affable. Il nous reste à tous du chemin à parcourir. Peut-être nous comportons-nous correctement la plupart du temps, mais parfois nous laissons filtrer une certaine arrogance, nous recourons au chantage, émotionnel ou autre, pour que nos collaborateurs s'exécutent. Je pense qu'un surcroît de bienveillance et de patience serait tout à notre honneur.

25

Évitez de dire : « Je dois aller au boulot. »

Cette stratégie concerne l'une des expressions les plus usitées au quotidien : « Je dois aller au boulot. »
Permettez-moi de vous dire, avant de poursuivre, que je suis conscient que, dans la plupart des cas, c'est vrai : vous *devez* aller travailler. Cependant ces quelques mots charrient des concepts négatifs qui sont, j'en suis convaincu, auto-destructeurs.

Le vocabulaire dont on use pour décrire une situation ou une émotion donnée trahit la façon dont on l'appréhende. Quand on *doit* faire quelque chose, cela implique que l'on est contraint et forcé, que l'on préférerait être ailleurs ou passer son temps différemment. Cela signifie donc que l'on n'a pas le cœur à ce que l'on fait, que l'on n'y met pas toute son énergie et qu'il est impossible d'en retirer la moindre satisfaction. Aussi, lorsque vous dites : « Je dois aller au boulot », vous vous préparez d'une manière subtile à passer une horrible journée. Cette journée ne sera peut-être pas aussi désastreuse que vous l'avez prévu, mais il est probable qu'elle le soit.

En outre, vous transmettez ainsi un message lourd de sens à votre entourage. À vous entendre, on croirait que vous n'aimez pas votre job, que vous êtes incapable de trouver un emploi qui vous convienne. Pensez-y sérieusement. Si vous aimiez vraiment votre travail, vous sentiriez-vous forcé d'y aller ? Vous arrive-t-il de vous exclamer : « Je dois partir en week-end ! » sur le même ton ? Ne serait-il pas plus sensé de dire simplement : « Je pars au travail », « Je m'en vais travailler », « Un nouveau jour commence », « Le travail m'appelle », etc. ? Je ne vous engage pas à vous écrier de bon matin : « Chouette ! Je vais bosser ! » mais vous êtes sans doute capable de trouver une formule plus enthousiaste avant de franchir le seuil de votre maison. Ne seriez-vous pas fier de vous ? Ne croyez-vous pas qu'il serait beaucoup plus agréable pour ceux qui vivent à vos côtés d'entendre quelques paroles positives à leur réveil ? Pour ma part, je m'en voudrais de laisser mes filles penser que je les quitte pour le bagne !

Je crois que vous serez étonné du retentissement qu'une telle stratégie peut avoir sur votre vie. La prochaine fois que vous vous surprendrez à maugréer votre rengaine habituelle, vous vous mordrez la langue. Cela vous fera sourire, parce que vous percevrez le ridicule de la situation. Lorsque vous reformulerez cette phrase en des termes plus positifs, vous vous rappellerez que vous souhaitez, en votre for intérieur, passer une agréable journée. Et nos désirs façonnent souvent la réalité.

Une dernière chose : vous passez un minimum de huit heures par jour, cinq jours par semaine, au boulot, que vous le vouliez ou non. Pourquoi ne pas vous interdire une bonne fois pour toutes de noircir le tableau par avance ? Démarrez du bon pied, réfléchissez avant de parler et passez une bonne journée !

26

Soyez conscient de l'effet stressant
de vos promesses

Dernièrement, je me suis aperçu du nombre effarant de promesses, même légères, que je faisais aux gens au cours d'une journée et que j'en arrivais à regretter. J'ai fini par comprendre que mon besoin de promettre à tout-va jouait un rôle non négligeable dans le stress que je subissais. À partir du moment où j'en ai pris conscience, il ne m'a pas été difficile de procéder à des ajustements mineurs et de réduire la pression qui me pesait dans ma vie professionnelle.

Songez seulement à la quantité de promesses que nous faisons inconsciemment ou qui ne sont que des engagements rhétoriques : « Je vous rappellerai dans la journée », « Je ferai un crochet par votre bureau », « Je vous enverrai un exemplaire de mon livre la semaine prochaine », « Je serai ravi de vous rendre ce service », « Appelez-moi, si vous avez besoin que je vous remplace ». Des paroles innocentes – un « Pas de problème » irréfléchi, notamment – peuvent vous mettre dans de sales draps si elles sont perçues par votre interlocuteur comme une proposition en bonne et due forme, alors que vous n'êtes peut-être pas en mesure de répondre à ses attentes. En fait, vous vous exposez même à des requêtes supplémentaires, puisque vous avez laissé entendre que la chose demandée ne soulevait aucune difficulté.

Pendant longtemps, je fus coutumier du fait. Quand on me demandait la copie d'un article, je répondais toujours par l'affirmative et notais la chose sur un pense-bête pour ne pas l'oublier. Au bout d'une semaine, mon bureau était jonché de papiers qui rappelaient à mon bon souvenir le nombre de choses qu'il me restait à accomplir. Je regrettais souvent mes promesses imprudentes et j'en concevais même du ressentiment. Quoi de plus normal, puisque respecter ma parole me prenait un temps fou et empiétait sur mes autres activités ?

Si vous êtes par nature enclin à tenir vos promesses, vous savez sans doute la pression que l'on éprouve pour y arriver.

Avant de poursuivre, laissez-moi insister sur un point : je ne vous demande pas de cesser de répondre favorablement aux requêtes d'autrui et je ne sous-entends pas que la plupart ne sont pas importantes. Il faut noter cependant que, dans une certaine mesure, vous engager n'est pas nécessaire. En ce qui me concerne, il m'est arrivé de jurer à mon éditeur que je lui enverrai du texte à la fin de la semaine. Or, il ne me demandait pas de serment mais que je fasse preuve de bonne volonté. Si je m'étais exprimé autrement, il ne m'aurait sans doute pas harcelé. Tout est affaire de subtilité. En soi, une phrase malavisée n'a pas beaucoup d'incidence sur la tension qu'on éprouve, mais ajoutée à la multitude de facteurs stressants qui nous assaillent, cette goutte d'eau peut faire déborder le vase.

J'ai donc appris à peser soigneusement chacune des demandes dont je suis l'objet ou que je présente à autrui. Pour reprendre l'exemple que j'évoquais tout à l'heure, si l'on me réclame la copie d'un article, je peux soit me proposer de l'envoyer, soit suggérer un moyen de se le procurer. Tout dépend du temps dont je dispose.

Aujourd'hui, je refrène mon envie de promettre un service qu'on ne m'a même pas demandé. Au lieu de dire spontanément que j'enverrai l'ouvrage dont nous discutions à un confrère, je me tiens coi. Ainsi ai-je la possibilité d'expédier ultérieurement ledit exemplaire à cet ami, mais, n'en ayant pas pris l'engagement formel, je n'y suis pas obligé.

Il y a deux avantages majeurs à redoubler de vigilance à l'égard de vos promesses.

Primo, vous économiserez du temps et de l'énergie. Pensez à celles qui, par le passé, se révélèrent inutiles et peu appréciées. Songez à celles que vous n'avez pas eu le loisir de respecter.

Secundo, si vous vous montrez sélectif dans vos promesses, le prix de la parole que vous donnez n'en sera alors que plus élevé. Vous veillerez à tenir les quelques engagements que vous aurez pris, parce qu'ils vous tiendront à cœur.

Si vous croulez sous le poids des promesses, vous perdez de vue l'essentiel. Vous faillirez à celles que vous faites aux êtres que vous aimez le plus au monde. Corriger ce défaut vous aidera à vous concentrer sur vos priorités sans vous éparpiller. Je ne vous promettrais donc pas que cette stratégie fera merveille, mais j'en donnerais ma main à couper...

27

Analysez vos rituels et vos habitudes,
et acceptez d'en changer

Quand on travaille, on a tendance à développer des habitudes, certaines bonnes et moins bonnes, certaines par nécessité, d'autres par défaut, par conformisme ou par routine. On ne les remet jamais en question, elles nous collent à la peau et l'on n'envisage jamais d'en changer. Lorsqu'on en adopte une, on ne s'en débarrasse quasiment jamais.

Analyser ces manies et admettre vouloir leur en substituer d'autres peut améliorer votre qualité de vie. Ces usages peuvent nous causer un stress inouï, même à notre insu. Voici une sélection de pratiques déplorables.

Vous ne vous accordez pas assez de temps avant d'aller travailler le matin et sortez de chez vous le ventre vide. Vous déjeunez trop copieusement et vous plaignez de ne pas faire de sport ou de somnoler l'après-midi. Vous vous rendez au bureau en voiture alors qu'emprunter les transports en commun est moins cher et vous donnerait l'occasion de lire ou de vous détendre. Vous buvez trop de café et vous vous sentez agité ou nerveux. Vous buvez un verre – voire plusieurs – tous les soirs pour décompresser chez vous ou dans un bar. Vous êtes grognon en arrivant au travail et êtes d'un abord difficile pour vos collaborateurs jusqu'à midi. Vous accordez trop de temps à la lecture de journaux et délaissez vos ouvrages préférés. Vous vous couchez trop tard ou trop tôt. Votre en-cas traditionnel de minuit détraque votre digestion.

Cette liste n'est pas exhaustive et n'inclut peut-être pas vos propres travers. Vous seul savez quel est celui dont vous devez vous défaire.

À présent, vous comprenez pourquoi je vous recommande cette stratégie : cette routine que vous affectionnez nuit à votre bien-être.

Intéressons-nous brièvement aux conséquences bénéfiques qu'occasionnerait l'abandon des habitudes que nous venons d'évoquer. Allez, imaginez-vous en train de changer !

Souvent, la différence entre une journée réussie et une journée harassante réside dans le démarrage. Au lieu de vous presser, tentez de vous lever une heure plus tôt ou préparez-vous en avance.

Bon nombre de mes accointances ont substitué à leur déjeuner une promenade d'une heure. Cette unique décision a bouleversé leur existence. Elles ont perdu du poids et ont une meilleure hygiène de vie. Elles sont mieux dans leur peau et débordent de vitalité. Elles épargnent l'argent que leur aurait coûté leur repas et l'investissent judicieusement. Elles croisent des amis pendant leurs balades. Elles sont plus sereines et plus calmes qu'auparavant.

Souvent les personnes qui abusent de la dive bouteille s'en repentent le lendemain : elles sont ronchonnes et ont la langue pâteuse. Rompre avec ce réflexe ou réduire votre consommation peut vous procurer un bien-être que vous n'imaginez même pas. Vous dormirez mieux et éprouverez un surcroît de tonus. Vous perdrez du poids et dépenserez moins d'argent, car l'alcool est un plaisir dispendieux. Vos relations aux autres prendront un tour plus positif.

Si vous vous rendez au travail en voiture, vous pouvez décider de vous épargner le stress qu'on éprouve au volant : voyager en bus, en train ou en métro vous conviendra mieux. Vous prendrez le temps de lire, d'écouter de la musique, de vous relaxer et même de vous assoupir pendant le trajet.

Je suis certain que vous avez des changements à faire. Essayez donc. Qu'avez-vous à perdre, sinon votre stress ?

28

Restez axé sur le présent

On a beaucoup glosé sur les vertus magiques de vivre l'instant présent. Je crois que la sagesse inhérente à cet adage mérite d'être répétée à l'infini. À mesure que vous vous entraînerez à demeurer concentré sur le temps présent, vous en reconnaîtrez les bienfaits dans votre vie professionnelle. Moins stressé, moins nerveux, plus efficace et plus facile à vivre, vous retirerez plus de plaisir de votre travail, serez plus attentif et ouvert aux autres.

Souvent notre esprit vagabonde vers l'avenir. Nous nous faisons du mauvais sang pour plusieurs choses à la fois – délais incompressibles, problèmes latents, congés à planifier, etc. Nous anticipons des objections, des refus ou des pressions qui ne sont pas forcés de survenir. Nous nous convainquons de la difficulté de chaque défi bien avant qu'il ne se présente à nous.

Parfois, nos pensées se tournent vers le passé – nous regrettons une erreur commise la semaine dernière ou une discussion houleuse avec notre conjoint. Nous nous reprochons les résultats faiblards du trimestre précédent ou nous nous repassons mentalement un incident douloureux.

La tendance est toujours la même, que l'on se penche sur hier ou sur demain : on imagine le pire. Qu'on y songe : on gaspille une grande partie de son énergie cérébrale en projections improbables et inutiles qui, même si elles se réalisent, se révèlent généralement moins dramatiques qu'on s'est plu à le croire. L'autre partie est quant à elle perdue en remords, alors qu'il n'est plus en notre pouvoir de modifier le cours des événements.

Or, toutes ces cogitations se produisent alors qu'on est censé travailler et sont un frein à la concentration.

J'ai analysé pour ma part ce qui se produit quand, d'une part, ma tête s'éparpille et, d'autre part, lorsque je me polarise sur mon occupation présente. Je puis donc vous certifier qu'un esprit canalisé est fertile en idées neuves, détendu et efficace. J'irai même jusqu'à dire que l'une de mes plus grandes forces – que je cherche encore à améliorer – est ma faculté à m'absorber corps et âme dans une seule action à la fois. Que je converse au téléphone avec un ami ou que je discute avec lui de visu, je ne me laisse jamais distraire par quoi que ce soit. Cela me permet de comprendre réellement la pensée de mon interlocuteur.

Je m'efforce de me plier à cette règle dès que j'écris. À moins de devoir répondre à une urgence, je m'abstrais de toute autre considération et m'immerge dans la rédaction de mon ouvrage. Mon énergie et mon intellect sont tout entiers dirigés dans un seul dessein : la créativité. Une heure complète de labeur équivaut à une journée de travail décousue. Ce principe vaut également pour mes conférences. Si je m'adresse à un auditoire à Chicago, je me défends de songer à mon discours du lendemain à Cleveland.

Cette consécration du moment présent repose beaucoup plus sur votre aptitude à contrôler les pérégrinations de votre esprit que les interruptions qui entrecoupent régulièrement votre journée de bureau : appels téléphoniques, collègues importuns, rendez-vous, etc. L'important est que vous sachiez vous remettre le plus vite possible à ce que vous faisiez.

En plus d'un rendement accru, vous connaîtrez enfin le bonheur d'apprécier pleinement votre travail.

29

Formulez des souhaits prudents

On passe un temps infini à souhaiter du changement. On rêve d'un job meilleur, de responsabilités étendues, moins de ceci, plus de cela, etc. Quelquefois, les choses auxquelles on aspire pourraient bel et bien améliorer sa qualité de vie. Mais il arrive également que ces ambitions caressées en secret ne valent pas la peine qu'on y consacre autant d'efforts. Voilà pourquoi je vous suggère ici de réfléchir à l'objet de vos désirs avant de chercher à vous en emparer.

Cette stratégie n'a pas pour but de vous défendre de rêver ou de tenter de vous rendre la vie plus belle. Au contraire. Mon vœu est de vous démontrer que votre existence actuelle est sans aucun doute heureuse. Si vous vous échinez à poursuivre une chimère par caprice ou parce que vous êtes persuadé qu'elle comblera vos attentes, vous l'attraperez à coup sûr, mais il vous en coûtera de nombreuses frustrations, des peines, des désagréments divers, du temps, des conflits... Une fois que vous avez intégré ces données, il vous est plus facile de vous contenter de ce que vous possédez d'ores et déjà : votre condition actuelle n'est peut-être pas aussi mauvaise que vous voudriez le croire.

J'ai rencontré des centaines de personnes qui, des années durant, se projetaient dans un avenir improbable et radieux. Leur idée était qu'elles toucheraient au bonheur le jour où quelque événement surviendrait – une promotion, un déménagement, une mutation. Aussi se désintéressaient-elles tout à fait de leur situation présente. Autrement dit, elles se focalisaient tant sur leurs carences qu'elles en oubliaient d'apprécier ce qu'elles avaient déjà.

Tom, par exemple, rêvait d'occuper un poste différent au sein de son entreprise. Il fit pression sur ses supérieurs hiérarchiques pour se voir octroyer la place et se plaignit sans cesse. Le jour où il prit ses nouvelles fonctions, il comprit l'ampleur des inconvénients qui les accompagnaient. Certes, il jouissait d'un plus grand prestige et gagnait un salaire supérieur à l'ancien, mais il était par monts et par vaux l'essentiel de la semaine. Ses trois enfants lui manquaient terriblement et ses absences répétées l'empêchaient d'assister à leurs matchs de football, aux réunions de parents d'élèves ou à leurs anniversaires. Ses relations avec son épouse subissaient également le contrecoup de cette prétendue « amélioration ». En outre, il était contraint de réduire ses activités sportives favorites, son emploi du temps étant beaucoup moins flexible qu'auparavant.

Tina pour sa part convainquit son patron qu'elle était capable de se mettre au télétravail, ce qui lui éviterait des trajets fastidieux jusqu'à son bureau. L'ennui, c'est qu'elle s'aperçut qu'elle adorait venir dans le centre-ville, elle qui résidait en banlieue. Cela lui donnait l'occasion de déjeuner avec ses copines ou de boire un verre avec elles en fin de journée. Elle se languissait des restaurants du quartier, des disques qu'elle écoutait dans la voiture. Au bout d'un certain temps, elle se sentit prisonnière de sa propre maison.

D'aucuns ont soif de pouvoir ou de gloire. Le revers de la médaille ne leur saute aux yeux qu'une fois qu'ils sont devenus tout-puissants ou célèbres : ils regrettent de ne plus faire partie de la foule des anonymes, leurs faits et gestes sont scrutés et critiqués plus souvent qu'à leur tour.

Une fois encore, sachez que je ne dénigre en rien les « effets secondaires » de nos ambitions. La nécessité d'avoir des revenus plus importants balaie souvent toutes les autres considérations. S'épargner les affres des bouchons mérite, en certaines circonstances, qu'on y sacrifie quelques autres commodités. Il arrive que des individus trouvent leur bonheur sous le feu des projecteurs ou dans la renommée. Je ne porte donc aucun jugement de valeur sur les appétits de chacun et je n'ai indiqué ces situations qu'à titre d'exemple. L'idée que je me suis employé à développer est la suivante : il faut vous interroger sur vos désirs, et sur ce qui les motive.

Si vous espérez du changement dans le cadre de votre carrière, intéressez-vous avant tout aux aspects positifs de votre situation professionnelle et ensuite aux moyens de la parfaire. S'estimer pleinement satisfait de l'état actuel des choses ne signifie pas que l'on ne s'investit pas à fond dans son métier ou que l'on manque d'ambition. Le bonheur et la motivation peuvent être concomitants, et n'imposent pas de renoncer à son bien-être.

Conservez à l'esprit qu'assumer plus de responsabilités, ce qui est gratifiant en soi, peut conduire à moins de liberté, d'intimité, etc. De même, une augmentation de salaire vous confère sans doute une certaine tranquillité financière, mais au détriment de votre vie privée ou de votre santé. Par conséquent, il importe que vous redoubliez de circonspection avant de formuler vos souhaits : ils se réalisent souvent et leurs conséquences ne vous plairont pas toujours.

30

Absorbez les dos-d'âne de chaque journée

Cette image a contribué à transformer ma vie. Au lieu de qualifier de « problèmes » les diverses choses à gérer au cours d'une journée de travail, je les considère comme des dos-d'âne. Comme vous le savez, un dos-d'âne est une sorte de renflement sur une route, destiné à attirer votre attention et à vous faire freiner. Selon la manière dont vous le franchissez, l'expérience se révèle soit désagréable et traumatisante, soit se résume à un simple ralentissement – pas grand-chose, en somme.

Si l'on roule à pleins gaz, qu'on accélère et qu'on se cramponne au volant, on passera de l'autre côté avec la grâce d'un hippopotame. Peut-être endommagera-t-on son véhicule, fera-t-on un raffut de tous les diables ou se blessera-t-on. En outre, les piétons regarderont l'air effaré ce chauffard qu'ils prendront sans doute pour un fou dangereux. Si, en revanche, on se rapproche du dos-d'âne en douceur et avec prudence, on le franchira en un clin d'œil, sans une égratignure. Soyons lucide : dans un cas comme dans l'autre, on avalera l'obstacle. Bref, la question qui se pose concerne plus directement l'état dans lequel le conducteur et son auto passeront de l'autre côté.

Vous êtes skieur ou cycliste ? Vous savez donc comment ça fonctionne. Si vous contractez votre corps, vous aurez de la peine à absorber le choc. Vous risquez même d'être déséquilibré et de chuter. La bosse vous paraîtra plus grosse qu'elle ne l'était en réalité.

Certains laissent leurs problèmes les tracasser à outrance, s'en plaignent à longueur de temps, fulminent contre l'injustice qui prévaut en ce bas monde. En clair, ils se contractent. C'est dans ce travers que s'égarent la majorité de nos semblables.

Lorsqu'on compare ses contrariétés à des dos-d'âne, on est enclin à voir les choses sous un angle neuf. D'abord, on se prépare mentalement à ce que ces « bosses » surviennent épisodiquement. On peut les combattre et y résister de toutes ses forces ou l'on peut se détendre et les accepter. C'est encore le meilleur moyen d'absorber le choc et d'en sortir indemne. On aura alors tout loisir de choisir une méthode judicieuse pour surmonter l'écueil.

Songer à vos problèmes en ces termes vous encourage à déterminer des approches avisées et adaptées à la situation. Cela vous permet en outre d'exercer votre objectivité, puisque vous traiterez le sujet avec un certain détachement, soucieux d'éviter les heurts ou les à-coups. Vous pensez en termes de solution et non en termes d'urgence ou de difficulté.

Avouez que, dans le cadre de vos activités professionnelles, vous réussissez en général à démêler quantité de crises. Dans le cas contraire, vous feriez long feu à votre poste. Alors à quoi bon paniquer et conférer à chaque anicroche l'ampleur d'une catastrophe ?

Testez donc cette stratégie : vous vous apercevrez que, comme tout un chacun, vous êtes sûrement capable de manœuvrer pour franchir un dos-d'âne.

31

Parrainez une association caritative

S oyons réalistes : si votre entreprise ne parraine pas officiellement une association caritative particulière, quelle partie de ses bénéfices ira-t-elle aux œuvres de bienfaisance ? Cinq pour cent ? Deux pour cent ? Rien du tout ? Qui sait ? Une chose est sûre : dans les affaires, les dépenses nécessaires ne manquent pas. Donc, si l'on attend les bras ballants que l'on ait réglé toutes les dettes, payé l'ensemble des fournisseurs et investi pour l'avenir, on peut avoir la certitude que sa société n'aura plus un centime à verser aux plus nécessiteux.

Donner, à titre personnel ou dans le cadre d'une entreprise, est important pour d'innombrables raisons : répondre aux besoins d'autrui, compatir à la condition des plus démunis, servir la communauté, éprouver une satisfaction morale et spirituelle ou même bénéficier d'une déduction fiscale. Mais il semble plus important encore pour une firme de parrainer une organisation. Sa vocation première s'en trouve élevée. La connaissance des sommes attribuées régulièrement procure un sentiment de satisfaction intense et incite à faire le bien. En d'autres termes, si votre entreprise s'engage à reverser cinq pour cent de ses profits à une association caritative, cela signifie que plus vous gagnez d'argent, plus il en va à ceux qui sont dans le besoin. Une telle action est tout à l'honneur des sociétés qui le font, lesquelles deviennent aux yeux de leurs concurrents un modèle d'éthique à imiter. Le caractère exceptionnel d'une démarche de ce type ne passe pas inaperçu et ne manquera pas d'avoir des retombées positives.

Par ailleurs, la philanthropie a des effets formidables au sein d'une entreprise : elle dynamise le travail en équipe autour d'un objectif supérieur et commun. Tous les intervenants éprouvent un sentiment de bonheur à être partie prenante dans la réussite d'un projet qui comblera non seulement les attentes de leurs dirigeants ou de leurs actionnaires mais de la collectivité. Le partage des richesses devient un réflexe. L'expression de ces bonnes volontés et de ces nobles causes se répercutera également sur l'ambiance au bureau, qui tendra vers plus d'harmonie. Et, partant, on cessera de se noyer dans un verre d'eau.

Si vous-même êtes chef d'entreprise, vous êtes tout à fait en mesure de mettre cette stratégie en œuvre. Si vous êtes employé dans une petite structure, ce n'est guère plus difficile. Il vous suffit d'en parler à votre supérieur hiérarchique ou à la personne concernée et de lui démontrer tous les avantages à faire preuve de générosité. Évidemment, si vous travaillez pour une multinationale, c'est une autre paire de manches. Vous aurez sans doute l'impression de vous adresser à mur ou vous jugerez que le nombre de gens à consulter est trop important. Tentez tout de même votre chance. J'ai croisé beaucoup de grands patrons dans ma vie. Sachez que, pour la plupart, ils ont un cœur et sont capables d'éprouver de la compassion. Ne commettez donc pas l'erreur de croire que votre employeur vous opposera un refus. Je suis sûr que la plupart seraient heureux de mettre la main à la poche, si ce n'est déjà fait. Certains trouveront votre proposition bienvenue et vous remercieront de vous en être ouvert à eux. Et si vos tentatives se soldent par un échec, ce n'est pas grave. Rien ne vous empêche de vous consacrer personnellement à une œuvre de bienfaisance.

Imaginez seulement un monde où toutes les entreprises, même les plus petites, offriraient aux pauvres cinq ou dix pour cent de leurs gains ! Un jour, lorsque vous analyserez l'ensemble de votre parcours professionnel, vous vous enorgueillirez de quelques réalisations. Il serait bon qu'une participation caritative y figure. Merci d'avance.

32

Ne cassez jamais du sucre sur le dos de quiconque

J'avais été convié au séminaire d'une entreprise et j'attendais mon tour pour prendre la parole quand un jeune homme s'approcha de moi et se présenta. Je crus avoir affaire à un chic type, jusqu'au moment où il se lança dans une longue diatribe vindicative.

Il se plaignit de son chef et de ses collègues. En l'espace de dix minutes, j'appris tout du climat délétère qui régnait au sein de cette société. À l'en croire, la firme entière pourrissait par la racine, lui excepté, évidemment.

Le plus triste dans cette histoire est qu'il ne se rendait sans doute pas compte de la gravité de ses propos : il ne cherchait qu'à me faire la causette. Selon toute apparence, ce pauvre garçon était coutumier du fait.

Hélas, il n'est pas le seul, loin de là. Mes nombreux déplacements aux quatre coins du pays m'ont permis de constater, à mon grand regret, que ce travers est monnaie courante. Peut-être faut-il attribuer l'ampleur de ce phénomène déplorable à l'ignorance générale de ses conséquences funestes.

Il y a deux raisons tout à fait valables pour ne jamais casser de sucre sur le dos de quiconque. Premièrement, cela renvoie une mauvaise image de la personne qui calomnie ses semblables. Sachez que le persiflage en dit plus long sur celui ou celle qui s'y adonne que sur l'individu attaqué. À mes yeux, cela dénote une propension à l'hypocrisie. Je doute fort que l'homme dont je parlais tout à l'heure ait dit à ses collaborateurs tout ce qu'il avait sur le cœur. Je le soupçonne plutôt d'arborer un large sourire en leur présence et de les dénigrer systématiquement en leur absence. Une attitude qui n'est pas à proprement parler fair-play.

De plus, et c'est là le deuxième point, se comporter ainsi génère un stress, une anxiété et un cortège de sentiments négatifs dont vous pourriez fort bien vous passer.

La prochaine fois que vous surprendrez quelqu'un à médire, efforcez-vous d'imaginer ce que cette personne éprouve en son for intérieur derrière sa façade assurée et confiante. Comment se sent-on quand on esquinte, à grand renfort d'épithètes désobligeantes et venimeuses, une personne qui n'est même pas là pour se défendre ? Quand cela m'arrivait, j'avais comme un goût amer dans la bouche à la pensée de la violence de mes attaques et des mots que j'avais employés. Je me demandais même comment j'étais tombé si bas. Peut-être déverser votre fiel vous procurera-t-il un soulagement éphémère, mais sachez que vous vous en mordrez les doigts, et probablement plus longtemps que vous ne vous y attendez.

Et puis, quelle source inutile d'anxiété ! Mon interlocuteur au séminaire s'efforçait de me parler à mi-voix, pour s'assurer de ne pas être entendu. Ne serait-il pas plus simple de proférer des amabilités sur ses semblables, pour le plaisir de s'exprimer normalement ? Quand on s'attache à ne dire que du bien d'autrui, on n'a pas peur de son ombre, on ne craint pas les oreilles qui traînent et l'on n'est pas sans cesse sur ses gardes.

Enfin, si vous persévérez sur cette voie lamentable, soyez certain que vous vous exposez à perdre, un jour ou l'autre, l'estime et la confiance de votre entourage. Même si, pour l'instant, vos proches, amis ou collègues, semblent savourer vos paroles acidulées et vous font part de leurs propres récriminations, ils auront intégré dans leur inconscient le fait que vous êtes prédisposé à la médisance. Après tout, ils en auront été les témoins directs. Pour résumer, ils vous croiront capable de les prendre un jour pour cible.

Un collègue m'a fait un très beau compliment. Il m'a dit que, alors que nous nous connaissions depuis longtemps, il ne m'avait jamais entendu dire du mal de quiconque. Ainsi que je vous l'ai avoué, cela n'a pas toujours été le cas, mais je m'y efforce autant que faire se peut.

Nous ne sommes pas des saints et nous ne pouvons pas toujours nous empêcher de formuler une critique plus ou moins sévère ou de dévoiler nos sentiments. Mais tout bien considéré, nous devrions tous nous débarrasser de cette sale manie.

33

Acceptez le fait que, de temps à autre, vous aurez une sale journée

Il n'y a pas si longtemps j'ai eu une journée effroyable qui, avec le recul, s'avère plutôt hilarante. Tout allait de travers. Je devais donner une conférence devant une assemblée importante, ce qui m'obligeait à prendre l'avion. Pour être tout à fait franc, je n'avais guère envie de respecter cet engagement parce que je revenais à peine d'un long voyage qui m'avait tenu éloigné de ma famille de nombreuses semaines. J'étais épuisé, je souffrais du décalage horaire et j'avais du retard à rattraper dans mon travail. Mon éditeur me fit comprendre que ma présence était indispensable et que les organisateurs m'en sauraient gré. J'acceptai donc de m'y rendre.

Sur la route qui menait à l'aéroport, je fus bloqué dans l'un des pires embouteillages que j'aie jamais rencontrés : le trajet, qui durait d'ordinaire quarante-cinq minutes, me prit deux bonnes heures. J'aggravai le problème en renversant du café sur ma chemise.

Mon vol avait du retard. Lorsque enfin je montai dans l'avion, je m'aperçus qu'une dame était assise à ma place, au bord du couloir, et que le siège près du hublot était déjà occupé. Je n'avais plus qu'à m'installer sur le siège du milieu et à me faire aussi petit que possible. Je dois préciser que c'était d'autant plus ennuyeux que je suis très grand et que j'aime écrire dans l'avion. D'ailleurs, je rédige cette stratégie quelque part dans le ciel entre Miami et San Francisco. À cause du retard de mon vol, je manquai ma correspondance à

Chicago et je patientai plusieurs heures avant d'embarquer à bord du dernier courrier ce soir-là. Au cours de cette attente, une femme trébucha sur un sac et renversa son soda sucré et poisseux sur mon attaché-case qui était ouvert. Tandis qu'elle me présentait ses excuses, le reste du breuvage se répandit sur le livre que je tenais entre les mains. Au final, le texte de mon allocution, mes notes pour cet ouvrage, mes billets d'avion, mes tickets de caisse, les photos de mes enfants et bien d'autres choses encore furent irrémédiablement perdus.

Je finis par atteindre ma destination. J'étais fourbu, mais je n'avais pas le temps de m'assoupir. Après avoir pris une douche destinée à me revigorer, je descendis au rez-de-chaussée où il était convenu que je retrouve la personne qui m'accompagnait à la réception... Elle n'est jamais venue ! J'appelai le palais des congrès où j'étais attendu pour m'en étonner et l'on me dit qu'on ne me laisserait pas entrer sans mon escorte, pour des motifs de sécurité. On m'enjoignit de ne pas bouger et de patienter. Vous l'aurez sans doute compris : je n'ai pas assisté à ce rassemblement. Autrement dit, j'ai fait faux bond à quelque deux mille personnes qui se faisaient une joie de m'entendre.

Cette succession d'incidents n'est imputable à personne. On peut tout juste déplorer une accumulation d'erreurs, de malchance et de mauvaise communication.

Alors, était-ce pour autant une catastrophe ? Une situation qui justifiait la panique ? Nullement. Voici ma philosophie : pourquoi ne partagerais-je pas le sort de la plupart de mes congénères ? Il nous arrive à tous de vivre une journée épouvantable de temps à autre. Ce devait donc être mon tour. La chose m'avait été épargnée des années durant et elle ne s'est pas reproduite depuis.

Ne prenez pas cette résignation pour du je-m'en-foutisme ou de l'apathie. Au contraire : tout comme vous, je fais de mon mieux pour arriver à l'heure et honorer mes rendez-vous. Je retire une grande fierté du fait que je n'ai quasiment jamais annulé une conférence. En outre, je m'évertue à répondre aux attentes de mon public. Mais nous ne pouvons pas échapper à notre condition humaine et ne pouvons pas toujours nous enorgueillir d'un sans-faute. Et c'est normal : nous ne contrôlons pas tout.

Je tiens pour très bénéfique l'idée selon laquelle, de loin en loin, nous ferons les frais d'une sale journée. Je ne vous engage pas à apprécier cette perspective, mais à l'accepter comme quelque chose d'inéluctable. De cette manière, au lieu de concevoir de la frustration et d'être pris de court, vous la vivrez avec plus de légèreté. En laissant assez de place dans votre cœur pour les erreurs humaines ou les coups du sort, vous conserverez votre sens de l'humour, cesserez de vous prendre au sérieux et chercherez à tirer parti des circonstances. Vous pardonnerez les défaillances de votre entourage qui, lui aussi, connaît des moments aussi peu joyeux que les vôtres.

N'oubliez pas : garder votre sang-froid au lieu de céder à l'affolement incitera les gens qui vous côtoient à vous imiter. Au cours de cette journée infernale, j'ai croisé des êtres délicieux et bourrés de talent. En nous y mettant tous, nous avons organisé une signature d'ouvrages à la place de la conférence. Au bout du compte, nous nous sommes bien amusés. Le monde n'a pas cessé de tourner simplement parce que Richard Carlson avait eu une mésaventure.

L'alternative est la suivante : soit vous affrontez ce type de situation l'angoisse au ventre, soit vous cherchez à saisir le bon côté des choses. C'est tout vu, n'est-ce pas ?

34

Repérez les scénarios récurrents

Quel que soit votre domaine d'activité, apprendre à repérer des scénarios récurrents est un excellent réducteur de stress car cela vous aide à éliminer tous les conflits relationnels inutiles. En outre, pour peu que vous vous y entraîniez, cela vous aidera à anticiper les ennuis potentiels qui se profilent à l'horizon, à étouffer certaines disputes dans l'œuf et à prévenir des tracas supplémentaires.

Vous êtes sans doute d'accord pour dire que chacun d'entre nous est enclin à se vautrer dans les mêmes types de réactions systématiques. En clair, ce sont toujours les mêmes défauts qui nous agacent, les mêmes reproches qui nous hérissent, les mêmes circonstances qui nous irritent, les mêmes tempéraments qui nous horripilent. Autrement dit, nous pouvons généralement prédire quand ou avec qui la moutarde peut nous monter au nez.

Appliquée à nos collègues, cette stratégie est fort intéressante : il est très utile, en effet, de guetter les prémices de ces attitudes destructives ou négatives au travail qui se répètent régulièrement. Vous pourrez noter, par exemple, que lorsque vous agressez ou défiez un membre de votre équipe, celui-ci monte aussitôt sur ses grands chevaux. Parfois, il est vrai, votre conduite se justifie. Mais bien souvent, il est plus sage de ne pas s'infliger ce type de conflit et vous êtes tout à fait apte à en décider puisque vous savez en reconnaître les signes annonciateurs. De cette manière, vous emploierez votre énergie à des fins plus utiles. Mais pour y parvenir, il vous faudra analyser objectivement votre manière d'être. Peut-être vous avouerez-vous alors que vous déclenchez souvent les hostilités vous-même ou que vous éprouvez un malin plaisir à croiser le fer avec vos collaborateurs.

Supposons qu'un de vos collègues soit incapable de tenir les délais qui lui sont impartis. Malgré le nombre de prétextes qu'il invoque en guise d'excuse, il ne remet jamais un dossier en temps et en heure. Comme vous connaissez le personnage et savez que son problème est incurable, vous êtes en mesure de vous protéger. Vous pouvez notamment refuser qu'il participe à des projets qui ne doivent souffrir aucun report. Si vous êtes toutefois contraint de travailler avec lui, n'hésitez pas à démarrer plus tôt ou à prendre de l'avance pour être sûr de ne pas dépasser 1er jour J. Et si, malgré vos efforts, il vous met en retard, vous ne vous en offusquerez pas trop : c'était à prévoir.

Dans un autre registre, examinons le cas d'une femme qui sort de ses gonds dès lors qu'elle s'estime critiquée. Il vous faut alors y réfléchir à deux fois avant de formuler une remarque ou un conseil qu'elle est susceptible de prendre pour une réprimande. Une fois encore, je juge normal et sain de donner des recommandations ou d'exprimer des reproches quand c'est nécessaire. Je précise donc que je m'intéresse ici à ces commentaires quotidiens qui provoquent à notre insu des tensions superflues.

Peut-être l'un de vos adjoints aime-t-il cancaner. Je le répète : si vous identifiez ce schéma récursif, vous pourrez y mettre le holà et arrêter des rumeurs avant qu'elles n'aient eu le temps de se propager. Vous vous apercevez que ce bavard ira répéter à la ronde l'histoire que vous venez de lui raconter ? Tenez votre langue et ne lui confiez plus vos secrets, à moins que savoir votre vie étalée au grand jour ne vous dérange pas. Aussi, si vous vous obstinez à lui faire vos confidences, ne vous énervez pas si le lendemain la terre entière en est informée. C'était couru d'avance.

Les exemples ne manquent pas. Les gens mesquins font rarement preuve de largesse. Les envieux sont toujours jaloux des autres. Ceux qui s'attribuent les découvertes de leurs collaborateurs ne se priveront pas de le faire à nouveau. Un être malhonnête ne s'embarrassera pas de scrupules pour sauvegarder ses intérêts. Une personne susceptible se sentira toujours attaquée, même si vous prenez des gants avec elle. Un retardataire proverbial n'arrivera pas à l'heure, même si vous le suppliez de faire un effort. Tenez-vous-le pour dit.

Une fois que vous aurez mis le doigt sur ces scénarios récurrents, vous disposerez de toutes les cartes pour y répondre. Oubliés les mots qui fâchent, le temps gaspillé, les joutes verbales oiseuses ! Étudiez ceux qui vous entourent avec soin : votre stress s'envolera de lui-même.

35

Réduisez vos attentes

Je faisais part de cette idée à une large assemblée quand une main se leva au fond de la salle. Un jeune homme prit la parole et me demanda :

— Mais quel drôle d'optimiste faites-vous pour nous exhorter à réduire nos attentes ?

Sa question était légitime et peut-être vous la posez-vous. Y répondre est une entreprise délicate. D'un côté, voir grand est une chose positive et croire en sa bonne étoile, en ses chances de réussite et de bien-être peut aider, si l'on s'y emploie, à atteindre le but recherché.

Mais d'un autre côté, si l'on espère trop de la vie ou si nos aspirations sont irréalistes, on se prépare à beaucoup de déceptions. En outre, vous risquez de vous mettre à dos vos collègues, car ils vous reprocheront de les entraîner dans vos utopies. Votre manière d'appréhender l'existence vous incite à escompter que les événements et les hommes se conformeront à vos prévisions. Dans le cas contraire, qui se produit souvent, vous êtes stressé et malheureux.

Il suffirait que vous acceptiez de réduire, ne serait-ce que d'un cheveu, le niveau de vos espérances pour que tout aille mieux. Créez un climat émotionnel qui y soit propice : si les choses s'accordent à vos vœux, soyez-en heureux et reconnaissant. Et au cas où les événements ne suivraient pas le cours que vous aviez fixé, vous n'en seriez pas catastrophé. Vous rebondirez aussitôt et fourmillerez de solutions pour résoudre un problème donné.

Le monde est ainsi fait : les êtres humains commettent des erreurs et chaque jour apporte son lot de contrariétés. On croise des gens grossiers et des goujats partout. Nul ne peut se targuer d'être irremplaçable. On entend souvent des gens se plaindre du montant de leur salaire. Les dysfonctionnements téléphoniques ou les pannes d'ordinateur surviennent de temps à autre. Bref, il convient de se souvenir que rien n'est parfait.

Lorsque j'ai rencontré Mélissa, elle travaillait pour une entreprise de création de logiciels informatiques. C'était son premier emploi. Or, cette jeune femme avait des attentes exceptionnellement élevées, et elle jugeait qu'elles n'étaient pas comblées. On ne la traitait pas avec le respect qu'elle méritait, on ne prenait pas ses idées au sérieux. Selon elle, on ne l'appréciait pas à sa juste valeur. Mélissa était donc excédée par la situation.

Je lui suggérai d'attendre moins des autres et d'envisager son travail sous un autre angle. Je l'encourageai à considérer ce job comme le premier pas vers des satisfactions plus importantes encore. Elle prit ce conseil très à cœur et sa vie changea du tout au tout. Au lieu de se laisser distraire par tous les manques qu'il lui restait à combler, elle concentra son attention sur les aspects essentiels de ses fonctions. Elle apprit vite et son mécontentement disparut bientôt.

Un an plus tard, Mélissa m'adressa un message dans lequel elle m'avoua à quel point elle était heureuse de m'avoir écouté. Cela lui avait permis de prendre du recul et d'accepter les choses comme elles venaient.

Mélissa avait sans doute bien agi : depuis notre entrevue, elle a bénéficié de deux promotions !

Beaucoup confondent attentes et critères d'excellence. Je le répète, je n'ai rien contre l'exigence et ne vous recommande pas d'accepter un travail bâclé. Sachez seulement qu'un peu d'indulgence envers votre prochain ne peut pas vous nuire.

Ne vous méprenez pas : vous continuerez à vouloir mettre toutes vos chances de votre côté – vous ne cesserez pas pour autant de travailler dur, de planifier, de solliciter l'avis de vos collègues, etc. Cependant, conscient que la vie ne se déroule pas toujours comme prévu, vous ne serez plus jamais déçu.

36

Autocongratulez-vous

Il arrive qu'on ne se sente pas apprécié, que l'on ait l'impression que nul ne comprend à quel point on s'est investi dans son travail ou ne perçoit les efforts que l'on fournit. À la lecture de mes précédents ouvrages, et même dans celui-ci, vous savez à quel point je recommande de féliciter son entourage et de lui exprimer votre estime. Pourtant, peu de gens suivent ce conseil.

C'est la raison pour laquelle il convient d'interrompre parfois le fil de ses activités et de se féliciter. Examinez vos faits et gestes et analysez-en les mobiles et les intentions sous-jacentes. Passez mentalement en revue les fruits de votre labeur. Songez à l'ardeur que vous mettez au travail, au chemin parcouru et au soutien que vous avez donné à ceux que vous côtoyez.

C'est simple comme bonjour, et ça marche ! Je m'y suis employé bien souvent et ça m'aide à faire le point. Parfois, je m'aperçois que je suis débordé, ce qui m'incite à compatir avec tous ceux et celles qui croulent sous le poids des responsabilités. Je comprends aussi que certains, surmenés, oublient de respecter une promesse ou de remercier quelqu'un pour un service rendu.

Emportés dans le tourbillon de la vie, nous ne prenons pas le temps de faire une pause et de méditer. Or, nous octroyer ce moment de répit nous permet de faire le point et de constater que nous jouons un rôle insigne auprès de notre famille, de nos collègues ou de l'entreprise où nous exerçons nos compétences, voire de l'humanité tout entière. Reconnaître cela soi-même est plus gratifiant encore que de se l'entendre dire par quelqu'un d'autre. En outre, pour se sentir bien dans sa peau, il importe de se lancer des fleurs à bon escient et de prendre la pleine mesure de sa contribution ici-bas.

Qui n'apprécie pas qu'on l'encense ? Un éloge fait toujours plaisir. Mais lorsque personne n'en a l'initiative, ne déprimez pas. N'attendez pas que l'on vous tire son chapeau pour être heureux : ce serait un bien mauvais calcul. En revanche, n'hésitez pas à vous autocongratuler, ça fait un bien fou. Vous abattez un boulot monstre ? Applaudissez-vous. Vous faites des heures supplémentaires ? N'oubliez pas de mettre cela à votre actif ! Si votre action influe sur le bien-être de vos semblables ou de la société en général, bravo !

Prenez le temps de faire ce petit exercice mental. Vous verrez, vous ne le regretterez pas.

37

Arrêtez de vous regarder le nombril

Je ne connais guère de tempérament plus repoussant que celui des nombrilistes. Vous savez, ces gens qui se prennent tellement au sérieux, qui adorent s'écouter parler et considèrent que leur temps est plus précieux que celui des autres. Ils sont souvent avares (de leur amour et de leur argent) et ne s'apitoient jamais sur le sort des plus démunis. Arrogants, prétentieux et pédants, ils n'hésitent pas à se servir d'autrui pour atteindre leurs objectifs et ne tolèrent pas la contradiction. Ils ont toujours raison, et tout le monde a tort, à moins, bien sûr, que vous ne partagiez leur point de vue.

Ils sont souvent grossiers et se désintéressent des sentiments d'autrui. Leurs préoccupations se bornent à leurs besoins et à leurs désirs personnels. Ils jugent les hommes en termes de hiérarchie, c'est-à-dire qu'ils tiennent certains pour inférieurs et leur vouent un profond mépris. Enfin, sachez qu'il est inutile de se confier à eux : ils sont sourds à la souffrance d'autrui parce que, très franchement, ils se fichent de leurs semblables.

Je sais, je vous dépeins ici un tableau d'une noirceur extrême. On ne croise que rarement des individus aussi odieux. Je me suis lancé dans cette description uniquement parce que cet exemple mérite de ne jamais être suivi. Cela vous incitera peut-être à accroître votre vigilance et à supprimer à un stade précoce des tendances fâcheuses.

Attention : ne confondez pas estime de soi et nombrilisme. Ces deux choses n'ont aucun rapport. Elles sont même aux antipodes l'une de l'autre. Une personne qui se tient en haute estime aime son prochain et se sent bien dans sa peau. Parce qu'elle est comblée sur le plan émotionnel, son instinct naturel la pousse à se tourner vers les autres. Elle prête une oreille attentive à son entourage et est désireuse de s'enrichir à son contact. Elle est pleine de compassion, cherche toujours à rendre service et à faire acte de bonté et de générosité. Son humilité l'engage à traiter tous ceux qu'elle rencontre avec respect et gentillesse.

Les raisons ne manquent pas de cesser de se regarder le nombril. Ce vilain défaut est une source considérable de stress : les gens narcissiques, rarement heureux, n'ont jamais fini de se noyer dans un verre d'eau. Tout exacerbe leur courroux. Ils n'apprennent pas vite puisqu'ils sont incapables de se passionner pour ce que les autres leur enseignent et ils restent isolés, parce qu'ils incommodent tous ceux qui les approchent. On peut même aller jusqu'à dire qu'on n'est pas mécontent lorsqu'ils tombent sur un os.

Je vous recommande donc de mesurer dès à présent la taille de votre ego. Jugez vous-même. Si vous sentez que vous filez un mauvais coton, rien ne vous empêche de vous corriger. Cela vous sera grandement profitable.

38

Ne vous laissez pas paralyser par des menottes dorées

Du jour où je l'entendis pour la première fois, l'expression « menottes dorées » a eu un profond impact sur ma vision des choses et sur les choix de vie que j'ai pu faire. Autour de moi, quantité de gens sont pris au piège par ces chaînes mentales. J'espère ici vous inciter à vous libérer de leur emprise et vous aider à en affranchir vos proches.

L'idée implicite dans cette formule est que vous menez, de votre propre chef, un train de vie qui met en péril vos ressources pécuniaires ou personnelles ou qui excède déjà largement les limites de vos possibilités. Vous occupez un poste, exercez une profession qui ne vous convient en rien mais dont vous vous accommodez car c'est votre unique source de revenus ? Vous éprouvez le besoin de vous accorder plus de loisirs mais votre planning chargé ou vos déplacements fréquents ne vous donnent pas l'occasion de profiter d'êtres chers ? La situation vous pèse car votre mal-être permanent empiète sur la satisfaction de gagner votre pitance.

Porter des menottes dorées signifie que vous avez décidé, en votre âme et conscience ou à votre insu, de sacrifier une partie de votre qualité de vie – repos, passe-temps, amours – à votre envie de conduire une belle voiture, d'investir dans l'immobilier et de jouir d'un confort matériel appréciable.

Cette stratégie ne porte évidemment pas sur ceux d'entre nous dont les ressources sont limitées et qui se saignent aux quatre veines pour acheter des biens de première nécessité. Je m'intéresse ici aux exemples qui trahissent une volonté ou un choix délibéré de se mettre en danger. Analysez votre cas personnel. Peut-être reconnaîtrez-vous que vous ne faites pas que subir en ce bas monde et que votre condition est, dans une certaine mesure, le résultat de vos propres décisions. Ne passez pas déjà à la stratégie suivante ! Même si vous ne tirez pas aujourd'hui le diable par la queue, les circonstances pourraient être amenées à changer.

Interrogez-vous longuement. La campagne publicitaire de tel constructeur automobile vous a-t-elle convaincu que vous aviez « gagné » le privilège de vous offrir votre nouveau bolide ? Le montant élevé des traites en vaut-il la peine ? Votre garde-robe dernier cri mérite-t-elle les heures supplémentaires que vous avez consacrées au travail pour le luxe de vous relooker ? Est-ce vraiment formidable de collectionner les cartes de crédit, histoire de vous acheter un empire si le cœur vous en dit, et de crouler ainsi sous les dettes ? Pourquoi vous porter acquéreur d'un trois-pièces ruineux si un deux-pièces entamerait moins vos économies ? Vos enfants doivent-ils absolument être scolarisés dans une école privée ? Pourquoi déjeuner au restaurant alors qu'un gentil pique-nique est bien plus agréable ? Emprunter les transports en commun ou opter pour le covoiturage, ce qui revient à réduire les frais d'essence, de parking et de péage, serait-ce un trop grand renoncement ? Pourquoi cette surenchère de besoins ?

Mark était un homme d'affaires prospère. Il avait patiemment gravi les échelons de l'entreprise où il travaillait depuis vingt ans et occupait un poste important. Il touchait un gros salaire, agrémenté d'une participation sur les bénéfices de la société, et était respecté de tous. Rien ne manquait au tableau : une belle maison, un véhicule luxueux, des enfants envoyés dans les meilleures écoles. Mais plus les années passaient, plus il se désintéressait de sa carrière : amoureux de la nature, Mark rêvait de jouer un rôle dans la protection de l'environnement.

Le problème était que Mark vivait largement au-dessus de ses moyens. Comme son enthousiasme pour son métier s'étiolait, il compensait par une frénésie dépensière. Il fut bientôt l'heureux propriétaire d'un quatre-quatre, d'un voilier et de gadgets onéreux. Il ne s'inquiétait pas : il comptait sur ses émoluments et les bonus qu'il empocherait quelques mois plus tard. La situation empira : il dépensa des sommes inconsidérées en tablant sur les trois ou quatre années à venir. Le piège se referma sur Mark : il était à présent obligé de conserver son emploi pour maintenir son train de vie et rembourser ses dettes exorbitantes. Ses rêves devaient attendre, il était pieds et poings liés.

Sachez qu'il y a des solutions à ce problème. La première est sans doute de réduire votre train de vie, de dépenser moins, de consommer moins et de vous simplifier l'existence. Je sais que cette suggestion va à l'encontre de la tendance actuelle au « toujours plus » de nos civilisations occidentales. Mais quel soulagement cela pourrait vous apporter !

Quand on y songe, est-ce qu'éliminer le stress et les soucis équivaut vraiment à une réduction de son train de vie ? Se sent-on diminué ou appauvri lorsqu'on jouit de plus de temps pour soi ou pour ses proches ? Le désespoir nous guette-t-il parce que nous avons jugulé les pressions et les préoccupations financières ?

Je n'ai rien contre la réussite, le confort ou l'aisance. Je crois que vous avez droit au succès et de posséder tout ce que vous méritez. Je sais que lésiner peut être astreignant. Mais l'objectif de cet ouvrage est de vous affranchir du stress et de vous empêcher de vous tracasser pour des détails qui n'en valent pas la peine. Une chose est sûre : avec des menottes aux poignets, même dorées, il est très difficile de ne pas se noyer dans un verre d'eau.

Débarrassez-vous-en ! Vous y gagnerez un sentiment de liberté qui vaut toutes les richesses de la terre.

39

Apprivoisez les répondeurs

J e ris toujours lorsqu'on remarque la longueur des messages que je laisse sur les répondeurs de mes correspondants. J'avoue que je suis parfois prolixe, mais ceux qui me le reprochent commettent une lourde erreur : ils en oublient l'efficacité de la chose, qui se révèle en outre un formidable exercice d'expression orale.

La plupart du temps, la durée d'un message ne peut excéder trois minutes. Cela suffit amplement pour donner des informations détaillées et précises et répondre aussi bien que possible à des questions posées ou défendre un point de vue sans interruption. La personne qui le reçoit pourra l'écouter à tête reposée et méditer vos propos avant de réagir.

Je ne connais pas vos habitudes téléphoniques mais pour ce qui me concerne, mes appels durent au minimum six à sept minutes. La plupart des conversations démarrent par un échange d'amabilités et dévient rapidement de leur motif réel. Même quand j'essaie d'écourter la discussion, je passe en moyenne dix minutes au bout du fil.

Mon cher ami Benjamin et moi-même avons coécrit quatre ouvrages en recourant très largement aux services de nos messageries vocales mutuelles. Cinq cents kilomètres nous séparaient et ce mode de communication nous a facilité la tâche. Chacun faisait part de ses idées ou de ses réflexions à l'autre par ce biais dès qu'il avait une minute de libre. Nous consultions nos répondeurs pendant nos pauses déjeuner, tôt le matin ou tard le soir. Nous sommes tous les deux convaincus que, si nous avions procédé de manière plus conventionnelle et opté pour des entrevues régulières ou un dialogue en direct, nos ouvrages n'auraient jamais vu le jour. En effet, nous étions tous les deux très pris par nos activités respectives et nos plannings étaient inconciliables.

Certains penseront que je suis sauvage ou que je n'apprécie pas de bavarder avec des amis. C'est tout le contraire. Dès que j'en ai le loisir ou que l'objet de mon appel s'y prête, j'adore deviser avec mes collaborateurs. Mais voyez-vous, c'est là le hic. Une fois lancé, j'ai du mal à m'arrêter. Voilà pourquoi j'encourage l'usage de répondeurs quand cela s'impose. Il est évident que rien ne remplace les contacts amicaux ou affectifs.

Sachez que je ne vends pas ce genre de machine et que je ne recommande leur emploi que ponctuellement. Je tiens seulement à vous signaler qu'en les apprivoisant, vous gagnerez un temps fou. Si vous avez déjà pris l'habitude de vous en servir, n'hésitez pas à louer les mérites de cette invention auprès de votre entourage.

40

Cessez de souhaiter être ailleurs

En y réfléchissant un peu, vous admettrez volontiers que cette tendance pernicieuse à vouloir se trouver ailleurs que là où l'on est, est à la fois stupide et néfaste. Laissez-moi expliciter ma pensée avant de vous croire exempt de ce genre de problème.

On peut souhaiter être ailleurs de diverses manières. On est au bureau et l'on rêve de rentrer chez soi. C'est mardi et l'on préférerait être déjà vendredi. On aimerait exercer une profession différente, assumer des responsabilités moindres ou plus importantes, on aspire à des relations professionnelles plus cordiales ou à se rapprocher de son domicile. On voudrait que la concurrence soit moins féroce, que le marché du travail soit moins étroit ou que la récession ne soit plus qu'un lointain souvenir. La liste est longue. Non seulement les désirs ne sont pas toujours réalité mais en plus ils relèvent souvent d'une réalité très lointaine de la nôtre.

Si l'on n'y prête pas garde, cette volonté d'ailleurs se révèle parfois tragique. Vous n'êtes pas ailleurs : vous vous trouvez ici même. C'est un fait objectif. En souhaitant constamment être téléporté dans un autre lieu, dans un autre temps, vous vous écartez de votre existence au lieu de vivre pleinement, dans l'instant présent.

D'un point de vue strictement pratique, il est très difficile de rester concentré sur ce qu'on a à faire quand on gamberge sans cesse vers un ailleurs idéalisé. Outre la distraction qui, en soi, est un frein au travail, on en arrive au final à ne pas éprouver de plaisir pour son occupation puisqu'on aimerait tant se consacrer à une autre. Or, quand on prend goût à ce que l'on fait, on est généralement enclin à s'y investir corps et âme, à se donner à fond et à ne penser qu'à cela. Lorsque l'esprit vagabonde, la joie que nous procure notre activité est un tant soit peu réduite. Supposons que vous soyez plongé dans un roman. Quelle satisfaction en retirez-vous si vous perdez le fil de la lecture ?

Admettons que votre emploi ne vous plaise guère et que c'est cette démobilisation qui vous incite à vous en détacher. Soyez honnête : vous effectuez de vous-même un travail de sape parce que, avec vos idées qui musardent, vous êtes incapable de déceler le positif.

Obligez-vous à museler vos envies d'ailleurs. Non qu'écha-fauder des projets d'avenir ou caresser des rêves soit condam-nable. Mais essayez de vous immerger dans vos occupations présentes : le cours de vos désirs en sera forcément modifié. La raison en est qu'avec les idées claires, on devient plus avisé. En plus, vous en viendrez à apprécier vraiment chaque moment de votre vie.

41

Demandez-vous : « Est-ce que j'exploite au mieux chaque moment qui passe ? »

C'est une des questions les plus importantes qui soient. Si vous y répondez par l'affirmative, votre vie est sans doute un enchantement. Vous êtes productif et efficace et, de surcroît, vous ne laissez pas des peccadilles vous atteindre.

Ne trouvez-vous pas que se plaindre continuellement, gémir sans cesse, souhaiter du changement ou s'apitoyer sur son sort est une perte de temps affligeante ? Cette stratégie opère des miracles sur tous ceux que rien ne contente.

Vous vous sentez débordé ou harassé par votre travail ? Interrogez-vous plutôt sur le cours de vos pensées : votre esprit bouillonne-t-il de réflexions stressantes ? Ruminez-vous sans arrêt sur la masse de boulot qui vous accable ? Remâchez-vous des idées négatives ? Ou alors, au contraire, exploitez-vous au mieux l'instant présent ? Cherchez-vous à vous montrer constructif et positif ?

J'ai commencé à mettre en œuvre cette stratégie il y a quelques années, et j'ai découvert un phénomène remarquable. Chaque fois que je me sens submergé, perdu ou pessimiste, j'améliore mon humeur et mon moral en me rappelant cette question. Il est vrai qu'à la moindre contrariété, je passe en revue mentalement l'ensemble de mes tracas, au lieu de m'efforcer de mettre au point un plan d'attaque pour y remédier.

Une chose est sûre : si vous ne tentez pas de profiter au mieux de chaque instant qui passe, c'est la noyade assurée ! Vous ne cesserez de gamberger sur tout ce qui vous déplaît dans votre existence. Heureusement, l'inverse est tout aussi vrai : pour peu que vous vous efforciez d'appliquer cette stratégie, vos menus soucis s'envoleront vite, puisque vous serez d'emblée prêt à les résoudre.

42

Halte à la course

C ertains ne connaissent que deux allures : vite et plus vite encore. Ils courent plusieurs lièvres à la fois, s'éparpillent et galopent sans arrêt. Ils ne prêtent qu'une oreille distraite à leurs congénères et leur esprit carbure à pleins gaz vingt-quatre heures sur vingt-quatre.

La raison en est peut-être qu'ils craignent d'être à la traîne ou de manquer le coche. Leurs concurrents et leur entourage semblent progresser si rapidement qu'ils essaient de s'aligner sur la même cadence.

Il importe de noter que cette frénésie générale nuit grandement à la concentration. On dépense une énergie considérable pour tenir le rythme et l'on commet souvent des erreurs. On perd le sens des priorités parce qu'on a beaucoup trop d'affaires à régler simultanément. On est stressé, excité, agité et l'on s'énerve pour un rien. C'est un fait : quand on cavale, on a tendance à se noyer dans un verre d'eau.

Tentez donc de vous efforcer consciemment de ralentir, en actes comme en pensées. Vous serez agréablement surpris de constater que vous êtes gagnant sur tous les plans : vous serez plus efficace et plus détendu. Pourquoi ? Parce que vous aurez eu le temps de souffler et d'avoir une vision plus large des choses. Le niveau de votre stress chutera aussitôt et vous aurez même l'impression que le temps s'est rétracté. Plus attentif et plus réfléchi, vous anticiperez les problèmes qui se présenteront à vous.

J'estime que j'ai réduit de moitié en dix ans ma vitesse moyenne. Et pourtant, j'abats dans le même temps le double de travail. Je suis toujours stupéfait de la quantité d'activités que l'on peut faire quand on est calme et posé. Plus important encore, on profite de la vie beaucoup plus lorsqu'on ne se presse pas continuellement. Rien ne sert de courir...

43

Soyez conscient de votre sagesse

Les facultés d'analyse sont sans conteste un atout sur la voie de la réussite. Mais l'intelligence des hommes ne se borne pas à cela. La sagesse inhérente à chacun entre également en ligne de compte. Ce concept englobe l'originalité, le bon sens, la notion des priorités, le sens de l'orientation, et contribue grandement à simplifier la vie quotidienne. Plutôt que de s'en remettre exclusivement à ses facultés d'analyse – ce qui nécessite des efforts et qui donne des résultats douteux –, il faudrait faire appel régulièrement à sa sagesse qui découle d'un sentiment de confiance en soi, de l'assurance de la direction à suivre, des décisions à prendre ou des solutions à apporter.

L'analyse est une corvée : on accumule des données, on les trie, on calcule, on compare et l'on s'interroge longuement avant de parvenir à une conclusion.

La sagesse quant à elle demande avant tout qu'on fasse le vide dans sa tête. Au lieu de courir après des idées, vous attendez sans rien faire qu'elles vous viennent. Des pensées pertinentes, innovantes et lumineuses affluent vers votre cerveau. Voilà qui aide à faire la vie plus belle, non ?

Avez-vous jamais peiné à trouver la réponse à une question ? La chose vous obsède, vous y réfléchissez perpétuellement, remuez vos méninges et examinez les informations dont vous disposez. Vous passez en revue tous ces renseignements et pourtant le déclic ne se fait pas, vous séchez lamentablement. Résultat : vous êtes anxieux, inquiet, et stressé. Vous fulminez dès qu'on interrompt votre raisonnement. En plus, au terme de cet effort intellectuel exténuant, vous doutez de vous-même. Dans de tels instants, vous ne pouvez que vous noyer dans un verre d'eau.

Ensuite, pour une raison ou pour une autre, vous cessez tout travail cérébral. Apaisé, vous en venez à oublier l'objet de votre quête quand soudain, abracadabra, la lumière jaillit. C'est ce que j'appelle la sagesse en action.

Pour y accéder, il suffit d'admettre que, parfois, il convient de mettre son cerveau en veille. Il faut alors croire en ses ressources personnelles et atteindre une forme de sérénité au lieu de gaver sa tête de données.

Carol gère un complexe immobilier dans le Texas. Son travail consiste à trouver des idées qui plairont aux résidents et allécheront de nouveaux locataires. Elle me confia un jour le secret de son succès :

— La plupart de mes confrères sont d'un conformisme assommant. Je crois que cela tient à leur manière de réfléchir : ils ne sortent pas de leur système de pensée. Pour ma part, dès que j'éprouve le besoin d'innover, j'arrête de réfléchir et je vais faire un jogging. Ensuite, comme par enchantement, j'ai un coup de génie. Cela m'a distinguée des autres. Notre jardin potager comme notre vidéothèque suscitent bien des envies. J'ai donc appris à me fier à mes réflexions passives plutôt qu'à mes facultés d'analyse. Je suis fière de vous dire que tous nos appartements sont occupés et que j'ai une longue liste d'attente.

La prochaine fois que vous vous lancerez dans des acrobaties mentales, tentez de calmer votre esprit afin de mettre votre sagesse en marche. La réponse viendra d'elle-même en un temps record. La sagesse est un outil puissant. Apprenez à en user : les résultats en valent la peine.

44

Privilégiez le rapport humain

On occulte trop souvent le rôle que tient le sens du contact dans la quête du succès. Ce talent permet pourtant d'établir des liens de confiance durables, fondés sur l'honnêteté et l'intégrité, de faciliter les négociations, et de réussir en affaires. Quelqu'un doué pour les rapports humains sait faire jaillir le meilleur de lui-même et de ses interlocuteurs, sans provoquer une levée de boucliers. En outre, les ingrédients nécessaires pour développer ce don sont ceux qui aident chacun à acquérir bonté, patience et décontraction. On peut donc considérer que cette stratégie est une forme d'autothérapie qui contribue à l'épanouissement personnel, professionnel et spirituel.

Beaucoup sont enclins à foncer tête baissée, à se montrer trop pressants ou trop directs avant même d'avoir pris le pouls de leur vis-à-vis. Cette précipitation agit hélas en repoussoir. Pour réaliser ses objectifs, il faut d'abord en passer par une étape relationnelle.

Lorsqu'on n'est pas en phase avec quelqu'un, les causes sont plurielles. Peut-être ne se sent-on pas en confiance ou a-t-on du mal à établir le dialogue. C'est alors que, aux yeux de son interlocuteur, on peut paraître arrogant, irréaliste, exigeant ou condescendant. On ignore l'origine de la faille, mais on espère pouvoir y remédier.

Certains comprennent au contraire instinctivement l'avantage à communiquer intelligemment. Quand on cherche à vendre quelque chose à quelqu'un ou qu'on souhaite lui demander un service, mieux vaut le brosser dans le sens du poil. Mais rares sont ceux qui perçoivent la nécessité de faire un effort au-delà de la première entrevue : ce n'est pas parce qu'on est sur la même longueur d'onde qu'il en sera toujours ainsi. Il est indispensable d'entretenir ces rapports régulièrement pour qu'ils soient solides.

Le sens du contact consiste avant tout à ne pas tenir pour acquises les affinités que l'on a avec les autres. Ce n'est pas parce qu'on connaît un collègue ou qu'on a régulièrement fait appel à tel fournisseur que l'on peut se permettre de se montrer désinvolte. Accordez-vous du temps pour conforter cette relation privilégiée. Écoutez beaucoup, parlez peu. Soyez respectueux et courtois, franc et attentif. Posez des questions et attendez les réponses sans perdre patience. Donnez à l'autre l'impression qu'il est en ce moment précis l'objet de toutes vos pensées. Personne ne croira en vous si vous n'êtes pas sincère. Il faut être convaincu pour obtenir les effets escomptés.

Dan pensait que « l'affaire était dans la poche ». Au téléphone, il avait habilement convaincu un client de souscrire à une coûteuse assurance-vie. Il n'avait pas pris la peine de bavarder avec Walter, et s'était borné à lui faire l'article. Dans son esprit, il ne faisait pas l'ombre d'un doute que Walter avait tout à y gagner. Les deux hommes convinrent d'un déjeuner au restaurant pour signer les papiers.

À peine furent-ils assis que Dan produisit les documents et tendit un stylo à Walter. Le climat se dégrada en un clin d'œil. Walter se leva et déclara qu'il s'accordait le temps de la réflexion. Inutile de vous dire que Dan s'en mordit les doigts. Il avait négligé l'importance du « relationnel ». S'il ne s'était pas fourvoyé ainsi, Walter n'aurait sans doute pas fait marche arrière.

Un bon contact ouvre la voie à une collaboration fructueuse. Les gens qui prennent la peine de l'établir, même si nous nous connaissons déjà, sont ceux avec lesquels je suis toujours ravi de travailler et que j'aime côtoyer.

Si vous consacrez du temps et de l'énergie à vous ouvrir à autrui, votre vie se transformera du jour au lendemain. Vous serez respecté et admiré et, au bout du compte, vous maîtriserez l'art des relations humaines.

45

Acceptez vos erreurs

P as de doute : il vous arrivera, de temps à autre, de commettre des erreurs, peut-être graves. Parfois vous sortirez de votre réserve, nierez l'évidence, blesserez quelqu'un, imposerez votre présence à des gens qui n'en veulent pas, aurez un mot malheureux, etc. Je ne connais personne à qui ce type d'incident ne soit pas arrivé. La question n'est pas tant de savoir si vous commettrez ou non un impair, mais si vous vous révélerez capable d'accuser le coup et de vous en remettre sur-le-champ.

On peut considérablement gonfler l'importance de ses bévues ou de ses gaffes en les analysant à outrance ou en se gourmandant. Imaginons qu'on prononce quelques phrases maladroites ; on peut fort bien les regretter ou l'on peut refuser de s'excuser et camper sur ses positions.

Je me souviens d'un incident survenu il y a de cela plusieurs années. Je m'étais approprié avec un bel aplomb la découverte d'une collègue. Cette dernière, blessée, était furieuse contre moi. Des collaborateurs s'en mêlèrent. Que d'énergie perdue ! Un ami auquel je relatais cette histoire me démontra que j'étais dans mon tort. Gêné et contrit, j'appelai ma collègue et lui présentai des excuses sincères, qu'elle accepta sans se faire prier. Il ne lui en fallait pas plus pour être heureuse. Si je lui avais demandé pardon plus tôt, si je m'étais remis plus vite de notre échange houleux, j'aurais pu nous épargner à tous ce stress superfétatoire.

Depuis, j'ai appris à ne plus m'appesantir sur mes erreurs et à ne pas aggraver mon cas : je suis beaucoup plus prompt à admettre mes fautes et à aller de l'avant. Il en résulte que, lorsqu'un de mes collaborateurs émet une suggestion ou une critique constructive, je n'insiste pas sur les défauts de son argumentation. Je m'efforce d'être réceptif et de garder l'esprit ouvert. Et c'est là que je m'aperçois qu'il y a au moins un fond de vrai dans ses propos, parce que je suis plein d'indulgence pour mes semblables. Une fois que vous serez convaincu de la sagesse du vieil adage « l'erreur est humaine et le pardon divin », vous évoluerez dans un climat émotionnel propice pour vous remettre de chacune de vos erreurs.

Plus vite je surmonte cette mauvaise phase, plus j'apprends des autres et, dans le même temps, mon stress diminue. Ce bonheur vous attend si vous prenez cette stratégie à cœur.

46

Encouragez les initiatives antistress de votre entreprise

Il y a quelques années, je discutais avec un homme qui reprochait à la société où il travaillait de ne rien faire pour réduire le stress des salariés. À ses yeux, les dirigeants étaient égoïstes, mesquins et se fichaient comme d'une guigne des femmes et des hommes qui œuvraient pour eux.

— Si vous étiez aux commandes, à quels changements procéderiez-vous ? demandai-je.

Jack avait longuement réfléchi au problème parce qu'il me répondit sans hésiter :

— Si ça ne tenait qu'à moi, j'autoriserais mes employés à s'habiller de manière décontractée le vendredi, j'aménagerais une salle de sport, j'organiserais une crèche et j'embaucherais des masseurs expérimentés.

— Joli programme, répliquai-je. Qu'en ont pensé vos patrons quand vous leur en avez fait part ?

Il y eut un long silence, au terme duquel il m'avoua qu'il n'avait jamais soumis ses idées à quiconque.

Comme des millions d'entre nous, il estimait sans doute que ses employeurs savaient pertinemment ce qu'ils avaient à faire. D'ailleurs il les tenait pour des monstres sans cœur et sans pitié, qui se désintéressaient du bien-être de leur main-d'œuvre. Il avait tout à fait tort.

J'ai été ému par le message que cet homme laissa sur mon répondeur six mois plus tard. Il me dit qu'il avait suivi mon conseil, et qu'il avait été stupéfait de la réponse positive du

P-dg et de ses bras droits. Tous avaient applaudi les suggestions de Jack et leur application était déjà à l'étude.

Il arrive que rien ne bouge dans une entreprise parce que personne ne propose quoi que ce soit. Tout le monde se plaint des choses qui stagnent, mais peu se dévouent pour les faire avancer de manière logique et rationnelle.

Même si vous ne parvenez pas à convaincre votre employeur, entendre son opinion sur la question peut néanmoins vous affranchir d'un certain stress. Peut-être vos suggestions comportent-elles des volets irréalisables. Mais en les exprimant à qui de droit, vous apprendrez sans doute que d'autres que vous partagent vos préoccupations et sont désireux d'apporter leur contribution. Au moins aurez-vous eu, l'espace d'un instant, la satisfaction d'être entendu et d'avoir fait tout votre possible.

Une de mes amies travaille pour un grand groupe basé à New York. Elle demanda à ses employeurs la permission de travailler quatre jours par semaine chez elle et de ne venir au bureau que le mercredi, pour se consacrer davantage à son fils. Ses patrons lui ont donné leur feu vert. Elle ne s'est jamais sentie aussi bien et remplit merveilleusement ses responsabilités. Tout le monde y a gagné.

Après qu'on leur en a fait la demande, certaines entreprises agencèrent des salles de sport ou de repos, et offrirent bon nombre de services destinés à réduire le stress de leurs employés. J'ai longtemps eu affaire à une société qui mettait gratuitement à la disposition de ses salariés des résidences de vacances, des distributeurs de boissons et organisait régulièrement des conférences et des séminaires.

L'ouverture d'esprit est rare de nos jours et l'on n'a guère envie de s'exposer à un revers inutile. Rappelez-vous qu'il est presque toujours bénéfique d'exprimer ses souhaits. Qui sait ?

Des individus heureux, détendus et peu sujets au stress sont souvent plus productifs, moins agressifs et plus loyaux. Ils sont moins enclins à claquer la porte ou à nourrir de l'amertume à l'encontre de leur patron. N'hésitez pas à présenter ces arguments à ce dernier.

47

N'ayez plus peur de parler en public

Autrefois, j'étais pétrifié à l'idée de m'adresser à une assemblée, au point que par deux fois avant une allocution publique au lycée, je tournai de l'œil.

Je ne suis pas le seul. Cette crainte touche l'immense majorité des Américains, qui tremblent à cette perspective plus encore qu'à celle de prendre l'avion, de se retrouver sur la paille ou même de mourir.

Pour m'amuser, je décidai de soumettre cette stratégie à l'un de mes amis, histoire de voir s'il comprenait ou non la pertinence d'une telle recommandation dans le cadre d'un ouvrage traitant de la réduction du stress au travail. Jim admit que la crainte de parler en public était une terreur très répandue mais qu'il ne voyait guère en quoi la surmonter pouvait contribuer à ne plus se noyer dans un verre d'eau.

Son étonnement était légitime, mais je peux y répondre.

Une telle panique ne se manifeste pas uniquement quand celui qui y est sujet doit faire un discours devant une foule. Elle l'étreint aussi dès qu'il s'adresse à un groupe, même restreint. Un rapport à présenter, un bilan à défendre, une étude à expliquer, des résultats annuels à analyser sont autant de facteurs de stress si vous tremblez chaque fois que vous ouvrez le bec.

Et puis, réfléchissez : ce genre de phobie est tout à fait handicapant et peut constituer un frein à la réussite, dans la mesure où il raye toute possibilité d'avancement ou de promotion. Avant que je ne m'affranchisse de ma peur, les décisions que je prenais étaient fonction de la probabilité d'une prise de parole en public. Depuis que je m'en suis délivré, ma vie est plus simple et beaucoup moins tendue. Inutile de vous dire que cela m'a également permis de connaître un succès plus grand en tant qu'auteur, puisque je suis enfin en mesure de promouvoir mes ouvrages !

Quel que soit le trac dont vous souffrez, je vous exhorte vivement à considérer cette stratégie. Cette peur ne vous distraira plus de votre labeur ou de vos responsabilités. Comme vous serez moins à cran, vous ne vous laisserez plus dévorer par des peccadilles.

Comment vous guérir ? Obligez-vous à parler à plusieurs personnes à la fois. Commencez par des petits groupes de trois ou quatre collègues, par exemple. Vous pouvez, bien sûr, suivre des cours d'expression orale, vous plonger dans des livres ou faire une psychothérapie, mais un jour ou l'autre vous serez contraint de vous exprimer en public. Et dès que vous vous y serez essayé, la qualité de votre vie tout entière en sera grandement améliorée.

48

Évitez d'initier des rumeurs ou des bavardages inopportuns

Cette stratégie est inestimable et a bouleversé mon existence. Elle m'aide tous les jours à gagner un temps fou et à éviter de contribuer moi-même au stress ambiant.

On a tendance à lâcher des remarques qui paraissent anodines sur une foule de sujets. Elles vont de « Tu as appris pour John ? » à « Vous êtes au courant de cette décision ? » en passant par « Savez-vous que... ». Tantôt vous initiez la conversation, tantôt vous l'aidez innocemment à se poursuivre. Vous renchérissez aux propos d'une collègue, relatez un incident à grand renfort de détails ou posez trop de questions. Et ensuite, vous avez beau jeu de vous plaindre des heures gaspillées au téléphone ou dans le couloir.

On serait tenté de croire qu'une telle conduite ne tire pas vraiment à conséquence. Mais pensez à ces discussions inopportunes, qui mangent votre temps ou votre énergie au moment où vous en avez le plus besoin. Combien de fois vous frappez-vous pour trente minutes gâchées en cancans alors qu'elles vous auraient aidé à terminer un dossier dans les délais ?

Analysez la manière dont vous utilisez votre temps. Peut-être parviendrez-vous à la même conclusion que moi : certaines discussions, téléphoniques ou de visu, viennent parfois perturber notre travail. Voilà qui contribue à cette sensation de stress permanente que nous voulons combattre. Et, plutôt que de reprocher ce gâchis à notre entourage, nous ferions mieux de nous prendre en main et de nous corriger.

Bien sûr, on s'attarde souvent à papoter avec ses collègues par plaisir. Cependant, il arrive qu'on se joigne à la conversation par habitude et non par choix.

Jadis, je croyais qu'il n'était pas en mon pouvoir de contrôler le flux des menus propos que j'échangeais au bureau, ni de maîtriser la logorrhée de mes interlocuteurs. Ce n'était pas tout à fait exact. Mes réflexions et mes commentaires y contribuaient, et souvent dans une mesure non négligeable. J'ai appris que je pouvais abréger une conversation tout en demeurant courtois et respectueux des autres. J'ai aussi appris à éviter de poser des questions qui peuvent entraîner des réponses fastidieuses, sauf si j'ai vraiment le temps de les écouter. Depuis, même si je suis plus occupé que jamais et que mes sollicitations professionnelles ne me laissent que très peu de loisirs, j'ai le sentiment d'être moins sous pression qu'auparavant. De plus, quand je me mêle à une conversation, je le fais l'esprit tranquille, à un moment qui me convient.

Mon conseil ? Comme vous y encourageaient vos parents, tournez la langue sept fois dans votre bouche avant de parler. Vous y gagnerez peut-être une ou deux heures qui peuvent vous soulager. Ne devenez pas pour autant misanthrope ou grossier : veillez à la teneur de vos propos et au temps que vous perdez en bavardages. Vous serez stupéfait par la puissance des répercussions de cette stratégie dans votre vie.

49

N'oubliez pas : les gens ne se résument pas à une fonction

Il est presque inévitable (au moins de temps en temps) de juger les gens en fonction du rôle qu'ils jouent au lieu de se rappeler qu'une personne se cache derrière les apparences. Autrement dit, il est tentant d'oublier qu'un homme ou une femme d'affaires, ou toute personne ayant un travail ou un projet à réaliser – quel qu'il soit –, n'est pas ce qu'il ou elle paraît, mais un être humain unique et singulier qui a choisi de s'investir dans un domaine donné. Le boulanger a une vie propre, une histoire et des drames personnels qu'il doit affronter. L'hôtesse de l'air est fatiguée et pressée de rentrer chez elle. Le pompiste de la station-service a une famille, des doutes et des soucis. La businesswoman, qui a l'air si sûre d'elle, se dispute certainement avec son mari et connaît de multiples ennuis, que les autres ne soupçonnent même pas. Votre secrétaire apprécie ses amis et ses enfants autant que vous aimez les vôtres, et elle éprouve les mêmes déceptions que n'importe qui. Vos collègues ne sont pas très différents de votre patron. Nous nous ressemblons tous sur ce plan-là.

Ce travers, qui consiste à juger les autres au regard de la profession qu'ils exercent, est très fréquent. N'est-on pas spontanément enclin à décrire tel ou tel en citant son métier – « Il est comptable », ou « Il est avocat » – comme si l'individu se bornait à cela. Nous pouvons, si nous le désirons, changer notre façon de voir et de cataloguer les autres. Cela rendrait notre vie beaucoup plus amusante.

On m'a dernièrement relaté l'histoire d'un patron qui était si enfermé dans son rôle qu'il posait ses crayons sur le bureau de sa secrétaire afin qu'elle les taille. Cela lui aurait pris seulement quelques secondes, mais dans son esprit, c'était à elle de le faire et il était persuadé qu'elle le ferait. Peut-être ne se rendait-il pas compte de sa propension à jouer au chef ou, plus simplement, la réaction de sa secrétaire lui était-elle égal.

Lorsque vous voyez d'abord les gens comme des êtres humains – et leur profession en second lieu –, ceux-ci sentent que vous les traitez avec plus de considération. Et à leur tour, ils vous voient sous un autre jour. Le plus souvent, ils vous écouteront et vous offriront leur concours en cas de besoin. Quand vous élargissez votre perspective, vous ouvrez la porte à des relations humaines plus riches, fructueuses et authentiques. Vous apprenez à mieux connaître les personnes de votre entourage ou celles avec qui vous êtes amené à travailler. Elles vous apprécieront, vous feront confiance et n'hésiteront pas à vous aider.

Mon hypothèse est que si le patron de mon exemple avait considéré sa secrétaire plus comme un être humain et moins comme une simple employée, elle aurait peut-être quand même taillé ses fichus crayons. Mais elle se sentait humiliée et elle finit par quitter son travail. Sa seule consolation fut que son patron se rendit compte plus tard combien il s'était mal comporté à son égard. Heureusement, depuis, il a retenu la leçon.

Dans l'un des magasins où je fais mes courses travaillent les gens les plus chaleureux et amicaux que je connaisse. Cependant, j'observe encore aujourd'hui que certains clients les considèrent presque comme des objets – sans aller jusqu'à être franchement antipathiques ou méprisants. Ils les ignorent tout bonnement, comme si la caissière qui sourit et plaisante avec leurs enfants n'était pas elle aussi une personne. Comme s'il ne s'agissait que d'une employée et seulement cela, apparue ici-bas pour les servir et prendre leur argent. Il y a même des gens qui ne relèvent jamais la tête, ne sourient jamais et ne disent jamais bonjour. Vous avez probablement vu se produire le même genre de scène chez votre épicier, au restaurant, à l'aéroport, dans le taxi ou à l'hôtel.

Cette stratégie est simple et facile à mettre en pratique. Vous n'avez pas besoin de vous jeter au cou de toute personne que vous rencontrez ou avec qui vous travaillez. Vous ne devez pas oublier non plus que les « jeux de rôles » sont inhérents à la société. Si quelqu'un travaille pour vous, il convient évidemment que cette personne se comporte avec vous d'une certaine façon.

Ma recommandation est simple à retenir. Chacun d'entre nous est unique et sa valeur réelle excède les limites de son métier. Tout le monde éprouve des sentiments : tristesse, joie, crainte, etc. Le seul fait de garder cela en mémoire peut transformer votre existence de manière très simple mais fructueuse. Égayez la vie quotidienne des gens par un sourire ou par un échange de regards amical. Vous pouvez contribuer à faire de ce monde un lieu plus agréable et chaleureux.

50

Évitez de mettre un prix
sur les choses personnelles

Une des plus fâcheuses habitudes dans lesquelles nous nous complaisons est la tendance à mettre un prix sur chaque chose. En d'autres termes, nous calculons mentalement le prix de ce que nous sommes en train de faire ou de ce que nous possédons, alors que nous pourrions faire ou posséder autre chose. Évidemment, il y a des moments où c'est fort utile, par exemple lorsque nous perdons notre temps à regarder la télévision ou rangeons notre bureau au lieu de passer le même temps à réfléchir sur le rapport que nous devons rendre le lendemain matin. Dans ce cas précis, il ne serait pas inutile en effet de nous rappeler que plusieurs heures passées devant la télé peuvent nous revenir très cher – et peut-être même nous coûter notre emploi.

Je me souviens du jour où Kris et moi avons contracté un prêt pour acheter un voilier. Le problème est que durant les deux années suivantes, nous sommes montés sur ce bateau seulement une fois – et encore ce n'était pas pour naviguer mais pour pique-niquer avec nos meilleurs amis. Kris et moi avons alors réalisé que notre repas nous avait coûté plus de deux mille dollars ! Tant pis, ce jour-là nous nous sommes quand même bien amusés.

Il y a d'autres fois cependant où il est important de ne pas chiffrer ce que nous sommes en train de faire. J'ai connu beaucoup de gens qui prenaient très rarement des jours de congé sous prétexte que « le prix en était trop élevé ». Ils font l'erreur de calculer ce qu'ils pourraient gagner au cours de ces journées, voire de ces heures « perdues » à ne pas travailler. Ce sont les mêmes qui éprouvent les plus grandes difficultés à se détendre, préoccupés qu'ils sont par le temps, l'argent et les avantages qu'ils sont en train de perdre. Ils disent ou pensent des choses du genre : « Si j'avais maintenu mes rendez-vous avec mes clients, j'aurais pu, à raison de cinquante dollars par heure, gagner aujourd'hui quatre cents dollars. » Et, bien que leurs calculs ne manquent pas de justesse, ils s'interdisent toute possibilité de ressourcement et de décontraction –, car pour réussir une vie moins stressante, vous avez besoin de vous détendre, de vous amuser, de vous changer les idées, et de passer des moments en famille. Aussi, même si vous vous estimez victime d'un manque à gagner, veillez à ne pas créer de déséquilibre sur le plan personnel.

L'un de mes plus chers souvenirs d'adolescence concerne le jour où mon père m'a aidé à déménager. Je devais quitter mon appartement durant la semaine. À l'époque, mon père était débordé, il dirigeait une très grande entreprise et avait à traiter de problèmes autrement plus sérieux. Son temps lui était extrêmement précieux. Je me souviens de lui avoir dit, en pensant faire une remarque intelligente :

— Papa, c'est sans doute le déménagement le plus cher de l'histoire.

Je faisais allusion au fait qu'il aurait facilement pu engager quelques personnes pour m'aider à un coût bien moindre que celui qu'il payait pour m'assister en personne. Cela aurait été beaucoup moins stressant et moins douloureux pour son dos. Sans même réfléchir un seul instant, il me regarda dans les yeux et me répondit :

— Rich, on ne peut pas donner un prix au temps que l'on passe avec son fils.

Ces mots restèrent gravés dans ma mémoire et le resteront jusqu'à la fin de mes jours. Je n'ai pas besoin de vous dire que le commentaire de mon père a eu à mes yeux plus d'importance que les milliers d'heures qu'il a passées au bureau « pour nourrir sa famille ». Ses paroles m'avaient touché droit au cœur, j'étais devenu quelqu'un d'important, je m'étais senti estimé. Elles lui rappelaient également que sa vie ne se résumait pas aux journées qu'il passait à son bureau.

Pour jouir d'une existence moins éreintante et se sentir mieux, j'ai compris qu'il peut être profitable de ne pas chiffrer certaines activités – avoir des moments de solitude, partager son temps avec un être cher, ou avec ses enfants. Prendre du temps pour se consacrer à se cultiver, ou se détendre avec des gens que l'on aime diminue la tension nerveuse à laquelle on est soumis en permanence, y compris au travail. Lorsque vous prenez conscience, quoi qu'il arrive, que certains moments ne sont pas à vendre – à aucun prix –, vous reconnaissez que votre vie est non seulement précieuse mais qu'elle vous appartient.

Poussons cette logique plus loin encore : autorisez-vous à faire des choses pour vous. Consacrez certaines plages horaires à vos occupations de prédilection : une promenade quotidienne, observer la nature, lire, apprendre à méditer, se faire masser, écouter de la musique, camper, discuter avec vos proches, etc. Et lorsque vous décidez de penser d'abord à vous, ne vous demandez surtout pas comment être plus productif. Mon principe est que si vous cernez bien vos véritables priorités, vous découvrirez combien la vie est plus facile. Vous serez surpris par le nombre de bonnes idées qui vous viendront à l'esprit tout en vous accordant le droit de vous amuser – et de ne plus calculer.

51

Lorsque vous demandez un conseil, soyez prêt à l'écouter

Une des dynamiques relationnelles les plus intéressantes qu'il m'a été donné d'observer est la propension de nombreuses personnes à vouloir faire partager aux autres quelque chose qui les tracasse, tout en négligeant complètement le conseil qu'elles peuvent recevoir en échange. La raison pour laquelle je trouve cela si captivant c'est parce que, après toutes les conversations que j'ai écoutées au fil des années, j'ai toujours été impressionné par la qualité des recommandations. Très souvent, il ressortait que le problème pouvait être résolu aisément et dans les plus brefs délais. J'ai même entendu des suggestions destinées à quelqu'un d'autre dont je me suis servi pour améliorer ma vie !

Parfois, bien sûr, on expose un souci simplement pour se soulager ou pour le plaisir d'être écouté. Il arrive aussi que l'on soit réellement désorienté et que l'on recherche une solution. On demande alors à ses proches une idée, une piste à suivre. Cependant, lorsqu'un ami, un conjoint, un collègue ou subalterne nous donne son avis, notre première réaction est de faire la sourde oreille, autrement dit de ne pas se fier au jugement d'un autre.

Je ne sais pas pourquoi nous sommes si nombreux à ne pas suivre un conseil. Peut-être est-ce parce que nous sommes gênés de demander de l'aide ou d'entendre des choses qui nous dérangent. Peut-être sommes-nous trop fiers pour admettre qu'un ami ou un proche en sait plus long que nous.

Quelquefois la recommandation que l'on obtient nécessite de notre part un effort ou un changement trop important dans notre vie.

Je suis le premier à reconnaître que je me trompe souvent. Mais une des qualités dont je suis le plus fier – et je suis persuadé qu'elle m'a très souvent aidé aussi bien dans ma vie personnelle que professionnelle – est ma faculté à écouter avec le plus grand intérêt les conseils que l'on me donne et, la plupart du temps, à les mettre en pratique. Je suis tout à fait prêt à admettre que je n'ai pas toutes les réponses. Je suis toujours à la recherche de quelqu'un qui peut m'offrir son concours. Non seulement je fais le plus grand cas de l'avis qui m'est donné, mais la personne qui me conseille est très souvent étonnée de voir combien je suis attentif à ce qu'elle me dit et que je ne répugne pas à suivre ses propositions. Des gens m'ont affirmé que j'avais une tendance à trop parler – et ils avaient raison. On m'a dit que j'avais besoin d'être plus à l'écoute – et je m'y efforce depuis. Des personnes m'ont suggéré d'adopter un comportement différent ou d'essayer d'être plus posé, et j'ai adopté leur point de vue. Et cela m'a fait un bien fou. Dès que je cherche à comprendre, que je suis réceptif, je peux presque toujours apprendre quelque chose. Une simple suggestion peut être à l'origine d'une grande transformation.

L'astuce est d'admettre que le regard de son entourage sur soi peut se révéler enrichissant, car le recul est toujours bénéfique. Aussi, sans toutefois accepter tous les conseils vous concernant, vous pouvez être juste un peu plus attentif à certains d'entre eux. Si vous le faites, vous vous sentirez bien mieux.

52

Profitez de vos trajets quotidiens

J e parlais avec le cadre d'une entreprise assez importante, qui se plaignait du « fichu trajet quotidien » qu'il était obligé de faire, lui prenant, à l'aller comme au retour, une heure et demie.

— Super, ai-je répondu, ce n'est pas très drôle, mais au moins avez-vous la possibilité de lire de bons livres.

Sa réponse me stupéfia. Il me dit d'un ton grave :

— Qu'entendez-vous par là ? Je n'ai même pas le temps d'en feuilleter un en route.

Au début, je pensais qu'il plaisantait. Mais une fois que je compris qu'il était on ne peut plus sérieux, je lui répliquai :

— Vous voulez dire que vous n'écoutez pas de livres-cassettes audio pendant que vous êtes dans votre voiture ?

Il a secoué la tête.

— Et que faites-vous chaque jour durant ces trois heures ? demandai-je.

Il hésita un peu avant de répondre. Il semblait ne pas vraiment savoir à quoi il passait son temps dans sa voiture. J'en déduisis qu'il occupait ces trois heures de trajet quotidien à pester contre les embouteillages et à se lamenter sur son sort. Je suis sûr qu'il devait écouter un flash d'information, donner peut-être un coup de téléphone avec son portable mais que le reste du temps il restait là, assis, à souhaiter que les choses changent. Remarquez qu'il s'agissait d'un homme d'affaires fortuné et instruit. Je me demande ce qu'il aurait pensé en apprenant que ses employés perdaient trois heures chaque jour à bayer aux corneilles.

En admettant que cet homme travaille cinquante semaines par an, il consacre sept cent cinquante heures de l'année à conduire pour aller ou revenir du travail. Voilà une formidable quantité de temps qui mérite d'être utilisée à bon escient.

Beaucoup de bons bouquins sont maintenant disponibles en cassettes audio. Si votre parcours est assez long entre votre lieu de travail et votre habitation, vous pouvez écouter le livre entier tout en conduisant. Pour découvrir combien sont précieux vos allers-retours en voiture, encore faut-il que vous décidiez de les envisager sous un angle positif. J'adore les livres audio. Avec deux enfants en bas âge, des horaires de travail bien remplis, de nombreux voyages, et une tonne d'intérêts pour diverses choses, je n'ai pratiquement pas le temps de lire. Les cassettes ont résolu ce problème. La distance jusqu'à mon bureau n'est pas très longue, mais je profite du temps que je dois passer dans ma voiture, surtout lorsque je suis coincé dans les bouchons. Vivant dans la baie de San Francisco, je peux dire que je suis servi ! Durant ces moments-là, j'écoute toutes sortes de livres : des romans, des guides pratiques, des ouvrages de relaxation, etc.

Si vous faites partie des millions de personnes qui se rendent à leur travail en voiture, et sont régulièrement bloquées dans les embouteillages, vous savez maintenant comment en tirer parti. (Et si vous prenez le bus ou le train, vous pouvez écouter des livres audio mais également lire un livre.) En envisageant même de créer un club de livres audio avec quatre ou cinq amis, il vous sera plus rentable d'acheter des cassettes pour les écouter à tour de rôle. Pour une somme modique, vous passerez des heures agréables. Faites-en l'expérience. Lorsque vous rentrerez de votre bureau, au lieu de vous plaindre de votre trajet, vous aurez la possibilité de parler du dernier livre que vous venez d'écouter.

53

Renoncez aux batailles perdues d'avance

Une des plus grandes sources de stress est la propension à mener des batailles que nous n'avons aucune chance de remporter. Pour une raison étrange, nous nous cramponnons à des arguments futiles, nous nous enlisons dans des conflits sans importance, insistons pour avoir raison, ou tentons de changer quelqu'un alors que nous n'avons aucune chance de réussir. Nous fonçons tête baissée dans des murs de pierre, et au lieu de faire marche arrière et de renoncer, nous continuons de lutter.

Supposons que vous vous dirigez vers votre lieu de travail quand soudain un conducteur agressif se colle à votre pare-chocs. Vous vous sentez importuné, et concentrez toute votre attention sur le rétroviseur. Si vous êtes très énervé, il vous arrive même de ralentir et de donner des coups de frein histoire de vous venger. Vous vous dites que le monde est devenu insupportable et que, malheureusement, la conduite automobile n'arrange rien.

Même si votre opinion sur ce conducteur est justifiée, une querelle ne vous rapportera rien. En participant à un tel accrochage, vous vous apprêtez à connaître d'amères déceptions. Le pire, c'est que vous pouvez provoquer un accident. Ça n'en vaut pas la peine car, de toute façon, vous êtes perdant. En reconnaissant l'inutilité d'une telle opposition, vous pouvez calmement vous déplacer sur une autre file et laisser ce conducteur poursuivre sa route et avoir un accident plus loin. Point, l'histoire est terminée, votre journée se poursuit.

Un expert-comptable arrogant et sexiste discutait vivement avec deux brillantes collègues. Elles réfutaient ses conclusions concernant un problème fiscal fort complexe, et il ne faisait aucun effort pour les écouter. Elles apportaient des arguments en leur faveur avec documents à l'appui. Malgré son manque de conviction pour défendre sa position, il les a repoussées et a fait peu de cas de leurs éclaircissements. Officiellement, c'était lui qui prenait les décisions et, en ce qui le concernait, l'affaire était bel et bien close.

Le problème, dans cet exemple, c'est que sa réputation était ouvertement mise en cause, pas la leur. Ces deux femmes essayaient de lui rendre service et de lui éviter une méprise lourde de conséquences et de tracas supplémentaires. De plus, son erreur n'était pas intentionnelle, ni révélatrice de quoi que ce soit. Il était évident qu'il s'agissait d'une affaire où elles n'auraient rien à gagner, elles avaient fait tout ce qu'elles avaient pu et rien ne pouvait le faire changer d'avis. Elles pouvaient passer la semaine suivante à s'apitoyer sur leur sort et à se répandre en paroles amères – ou tourner la page et se replonger dans leur propre travail, excellent au demeurant.

Heureusement, ces deux femmes avaient appris à ne pas prendre trop à cœur des choses relativement futiles. Vous pourriez dire qu'elles avaient appris à ne pas se noyer dans un verre d'eau – dont cet exemple précis était la parfaite illustration. Réfléchissez : l'enjeu eût-il été plus élevé, le dossier eût-il engagé la probité d'un employé ou concerné une somme d'argent conséquente, elles auraient pu décider de porter leurs efforts à un autre niveau. Mais cela ne valait pas tous les embêtements qui en auraient découlé. Leur décision finale n'était en rien de l'apathie ; ces deux femmes étaient de véritables professionnelles. Elles avaient simplement eu la sagesse de ne pas se tromper de combat.

Évidemment, si quelque chose de très important ou de grave est en jeu, vous êtes en droit d'exposer vos arguments et le désaccord est inévitable. Néanmoins, la plupart du temps, le sentiment de déconvenue ne provient pas de là. La majorité des gens se débrouillent très bien lorsqu'il s'agit d'une affaire les concernant au premier chef. Le stress que l'on ressent a souvent pour cause des combats perdus d'avance dont le résultat n'a pratiquement aucune importance.

Peut-être les plaintes continuelles d'une collègue vous affligent-elles. Vous avez passé un temps infini et dépensé toute votre énergie à essayer de lui démontrer qu'elle n'avait pas autant de raisons d'être de mauvaise humeur. Mais vous avez beau faire, elle ne cesse de se lamenter. À chaque remarque de bon sens que vous lui faites, elle vous oppose un argument, « Oui, mais... », et jamais elle ne suit le moindre conseil. Si vous vous sentez blessé par ce genre de relation assez courante, c'est parce que vous livrez une bataille sans issue. Votre collègue se plaindra sans doute toute sa vie. Votre engagement à ses côtés, votre bienveillance, vos idées, vos suggestions n'ont aucun effet. Cela signifie-t-il que vous devriez arrêter de vous pencher sur ses problèmes ? Bien sûr que non. Cela veut juste dire que vous pouvez vous enlever de la tête de parvenir un jour à lui faire entendre raison. Voilà tout. Vous pouvez être là pour la soutenir, lui souhaiter tout le bien possible, mais si vous recherchez plus d'harmonie dans votre propre vie, il faut vous désengager de toute cause perdue d'avance.

Parfois, contrairement à nos habitudes, nous nous lançons dans ces croisades ineptes avec le plus grand entêtement, sans même avoir besoin de nous prouver quoi que ce soit, voire sans avoir réfléchi à la finalité de nos efforts. En tout cas, cette volonté nous conduit droit dans une impasse si notre intention est d'arrêter de nous noyer dans un verre d'eau. Le grand entraîneur de football américain Vince Lombardi déclarait :

— Lorsque vous vous engagez dans une voie sans issue, ce n'est pas en accélérant que vous en sortirez.

Je ne pouvais pas mieux dire.

Je suis persuadé que l'une des principales raisons pour lesquelles je suis heureux est que je suis capable de faire la différence entre une bataille perdue d'avance et celle qui vaut la peine d'être livrée. J'ai toujours pensé que mon équilibre personnel était beaucoup plus important que toute envie de me prouver quelque chose ou d'argumenter au cours de discussions stériles. De cette façon, je réserve toute ma passion et mon énergie à des causes dignes de ce nom. J'espère que vous prendrez cette stratégie à cœur car je sais qu'elle peut vous éviter de nombreux désagréments.

54

Considérez le stress et les contrariétés comme autant d'obstacles à votre réussite

Je ne pourrais pas vous dire combien de fois on m'a posé la question : « Pensez-vous qu'il faille être stressé et contrarié pour réussir ? » Je suis, pour ma part, convaincu du contraire.

Beaucoup de gens pensent que le stress et la réussite vont de pair. D'après l'opinion générale, il y aurait un prix à payer pour que nos rêves se réalisent, et cela entraîne inévitablement beaucoup de tension. Les pressions sont vécues par la plupart comme une façon de se motiver. Du coup, non seulement les gens trouvent normal d'éprouver de l'anxiété dans leur travail quotidien, mais en plus ils s'imaginent que le stress est quelque chose qu'ils *doivent* ressentir, dont ils ont besoin pour se stimuler et conserver leur dynamisme. Aussi, ils sont nerveux, deviennent facilement irritables et moins réceptifs aux autres. Ils enchaînent les rendez-vous, persuadés qu'ils n'auront jamais suffisamment de temps, et s'agitent dans tous les sens. Ils perdent le sens de la mesure et ne discernent plus ce qui est important. Ils partent le matin à toute vitesse et se plaignent, le soir, en rentrant chez eux, de leur journée harassante. Résultat : leur rendement décroît.

Si vous jugez que le stress est un facteur positif et indispensable, vous allez – consciemment ou inconsciemment – vous mettre de plus en plus sous pression. Si, au contraire, vous l'envisagez comme un obstacle qui vous empêche d'atteindre vos buts, vous pouvez déjà vous débarrasser d'un grand poids.

En fait, l'hyperactivité finit progressivement par vous miner. Vous n'avez plus les idées aussi claires. Vous perdez votre bon sens, votre lucidité et votre créativité vous font défaut. La tension nerveuse est également très fatigante et absorbe toute votre vitalité – aussi bien physique qu'émotionnelle. Bref, le stress est une source énorme de problèmes relationnels. Plus vous êtes affairé, plus vous devenez irascible. Distrait et déconcentré, vous perdez votre disponibilité et votre sens de l'humour.

Je reconnais qu'un certain degré de tension est inévitable. Néanmoins, envisager le stress comme souhaitable risque de vous empoisonner la vie. Loin d'être une première source de motivation, c'est le plus sûr moyen pour anéantir votre esprit et votre énergie. Et contrairement à l'idée selon laquelle le stress vous aiderait à conserver votre détermination, c'est plus souvent vos concurrents qui en profiteront.

Un conseil : lorsque vous commencez à être débordé dans votre vie professionnelle, et que vous vous sentez de plus en plus nerveux, rappelez-vous simplement que même si votre travail est pénible, le stress ne vous aidera pas à résoudre les problèmes et ne peut en rien vous être bénéfique. C'est ainsi que cette activité fébrile, que vous avez toujours jugée nécessaire, va vous apparaître inutile. Et vous constaterez alors que la réussite provient de ce que vous ne regardez plus le stress comme un allié mais comme un obstacle.

55

Acceptez qu'on puisse être fâché contre vous

C e n'est pas une idée facile à accepter, surtout si, comme moi, vous aimez faire plaisir aux gens et que vous recherchez leur approbation. Toutefois, j'ai compris que si je ne me réconciliais pas avec cette éventualité quasi inéluctable, je risquais de tomber de haut. Un jour ou l'autre, quelqu'un sera plus ou moins fâché ou déçu par votre comportement. Par exemple, en essayant de vous attirer la sympathie d'une certaine personne, vous pouvez être en train d'en blesser une autre. Même si vos intentions sont dénuées de toute arrière-pensée, vous ne pouvez contenter tout le monde. Si plusieurs amis ont besoin de votre aide, veulent vous voir ou attendent quelque chose de vous, et que vous ne pouvez pas vous dédoubler, l'un d'eux se sentira forcément trahi. Si vous êtes pris par le temps et que vous êtes néanmoins sollicité dans tous les sens, un certain nombre d'appels vont, en toute logique, rester en suspens. Et vous finirez par commettre des erreurs.

Votre patron ou votre client vous réclame pour une affaire ? Votre enfant et votre épouse ont également besoin de vous au même moment. Vous êtes serveuse dans un restaurant très fréquenté et chaque table est occupée ? Vous faites de votre mieux mais les clients sont mécontents. Quatre personnes vous ont demandé de leur téléphoner avant cinq heures ? Pas de chance, le deuxième appel dure plus longtemps que prévu et les deux confrères qui attendent de vos nouvelles risquent fort de ne pas être contents. Si vous abrégez votre conversation, votre interlocuteur risque de se froisser. Dans tous les cas, quelqu'un s'estimera lésé. Vous faites des heures supplémentaires pour parfaire un travail qui vous tient à cœur au détriment d'un autre projet auquel vous vous consacrez peu. Sur la vingtaine d'anniversaires que vous avez à célébrer, vous en oubliez un. Une fois encore, vous avez réussi à contrarier quelqu'un. Et ainsi de suite.

Vous pouvez faire tout votre possible, mettre toutes les chances de votre côté, prendre en compte le moindre imprévu, vous ne pourrez empêcher que des erreurs soient commises. Or, en commettant des gaffes, vous démontrez que vous êtes un être humain. Lorsque l'on s'investit dans un projet, on a besoin parfois d'y consacrer tout son temps : on en oublie une promesse, un rendez-vous ou un engagement ; quelqu'un en sera blessé, énervé, fâché ou déçu. J'y mets vraiment du mien et, je peux vous assurer que j'ai tout essayé (enfin il me semble) ! Voici un exemple personnel :

À une certaine époque, j'ai eu le bonheur de recevoir environ trois cents lettres de lecteurs chaque semaine. Un grand nombre d'entre eux me demandaient une réponse personnelle et, selon moi, chacun la méritait. En effet, une personne qui prend la peine et fait l'effort d'écrire un courrier agréable est à mes yeux digne d'intérêt. Et aujourd'hui, j'apprécie tous ces envois : beaucoup d'entre eux m'ont d'ailleurs ému jusqu'aux larmes. Mais comme tout le monde, je ne dispose que d'un nombre limité d'heures dans la journée, et je dois jongler entre différents engagements et responsabilités.

J'ai un emploi du temps serré et des dates limites à respecter. J'ai de nombreux rendez-vous à préparer, un cours à donner, des séances de promotion, et des dizaines d'autres activités encore. Par-dessus le marché, j'ai une famille que j'adore et je veux m'en occuper.

Pour parler concrètement, si je devais consacrer dix minutes en moyenne à chaque lettre que je reçois, cela me prendrait tout mon temps. En tout état de cause, vous ne seriez certainement pas en train de lire ce livre aujourd'hui car je n'aurais pas eu le temps de l'écrire. Que pouvais-je faire ? J'ai engagé une personne qui m'aide à répondre à mon courrier. Chaque semaine, elle choisit un grand nombre de missives auxquelles je réponds personnellement et elle s'occupe des autres.

Pendant un temps, j'ai cru que j'avais résolu mon problème. La majeure partie de mes lecteurs ont compris ma situation, mais quelques-uns se sentent floués, déçus, voire carrément furieux parce que je n'ai pas eu la courtoisie de prendre la plume moi-même. C'est toujours le problème : vous ne pouvez pas contenter tout le monde, même avec la meilleure volonté du monde. Et je ne pense pas être en cela différent des autres.

L'admettre vous ôtera un grand poids des épaules. Vous ne cherchez évidemment pas à décevoir ou à blesser qui que ce soit. Lorsque vous savez que c'est inéluctable, votre première réaction en apprenant que vous avez heurté quelqu'un sera beaucoup plus tempérée. Au lieu de vous énerver, de vous disculper ou de vous sentir coupable, vous resterez bienveillant. Ce n'était pas volontaire, vous avez essayé tout ce qui était en votre pouvoir pour l'éviter et pourtant ça n'a pas marché. En ne tentant pas d'y remédier à tout prix, vous préserverez votre tranquillité d'esprit.

56

Ne vous laissez pas miner par vos pensées

Je me suis souvent posé la question suivante : « Quelle est l'unique chose que l'on puisse faire pour cesser de se noyer dans un verre d'eau ? »

Je dois avouer que je ne suis pas absolument certain de connaître ce secret. Néanmoins, je conseillerais en premier lieu de ne pas se laisser envahir par ses propres pensées.

Songez au nombre de fois où nous avons des conversations privées avec nous-mêmes. Cela nous arrive pratiquement tout le temps. Au volant, par exemple, on cogite sans arrêt sur les thèmes les plus divers : une date butoir, un raisonnement, un conflit éventuel, une erreur, une excuse, etc. Que l'on soit au travail ou sous la douche, on est toujours en train de ruminer des choses, qui semblent toutes bien réelles.

Cependant, au fil de ces soliloques, on perd facilement de vue le fait qu'elles ne reflètent en rien la réalité. Permettez-moi de m'expliquer. Cela peut paraître étrange, mais la majorité d'entre nous sommes enclins à oublier que nous pensons, parce que c'est une activité quasi permanente, comme le fait de respirer. Avouez que vous ne vous rendez même plus compte que vous êtes en train d'inspirer et d'expirer ! Eh bien, penser, c'est la même chose. Cela fait partie intégrante de notre fonctionnement. Il nous arrive même d'attribuer une importance démesurée à la plupart de nos réflexions, au point de leur conférer le pouvoir de nous angoisser.

Si vous prenez en compte cette idée, vous serez probablement capable d'en dégager les implications pratiques. Après tout, une pensée n'est qu'une pensée qui, lorsqu'elle survient, ne peut vous inquiéter sans votre accord tacite, conscient ou inconscient. Les pensées sont comme des rêves éveillés qui vous encombrent, alors qu'il suffirait de vous remettre en question pour les relativiser.

Par exemple, vous pouvez avoir la série de réflexions suivante lors de votre trajet quotidien : « Mon Dieu, cette journée sera catastrophique. J'ai six rendez-vous et je dois terminer ces deux rapports avant midi. En plus, je risque de croiser Jane. Je sais qu'elle est encore fâchée à cause de notre discussion d'hier. »

À ce moment-là, vous avez le choix entre deux attitudes. Soit vous prenez vos réflexions très au sérieux, commencez à vous inquiéter et ne cessez d'y penser, ce qui vous donne l'impression que votre vie est de plus en plus difficile. Soit vous analysez avec lucidité ce qui vient de se passer et vous comprenez que vous venez d'avoir une mini-attaque de cogitation, que tout cela se déroule dans votre tête. Vous n'êtes même pas encore à votre travail, vous êtes toujours assis au chaud derrière votre volant !

Cela ne veut pas dire que vous n'aurez aucun souci ou que vous ne devez pas souhaiter une journée dépourvue de problèmes. Mais songez combien il est paradoxal de passer une mauvaise journée de travail avant qu'elle n'ait commencé ! C'est ridicule, mais c'est précisément ce que nous faisons.

Si vous parvenez à changer cette façon d'être par rapport à vos obsessions, vous serez agréablement surpris de constater à quelle vitesse vous aurez été capable de réduire votre stress au travail. La prochaine fois que vous serez en proie à une salve de réflexions, essayez de vous prendre en flagrant délit. Puis dites-vous quelque chose de drôle du genre : « Tiens, ça y est, ça me reprend », comme pour vous rappeler que vous prenez vos pensées un peu trop au sérieux. J'espère que cette stratégie vous tiendra à cœur, car ses effets salutaires sont considérables.

57

Prenez en compte l'incompétence

Dans toutes les professions, on compte une poignée d'excellents éléments, une majorité moyenne, et une minorité dont on se demande comment elle a pu réussir à se faire une place ici-bas.

Il est néanmoins curieux de constater que beaucoup ne paraissent pas comprendre cette dynamique ou, du moins, leurs réponses à cet état de fait ne dénotent guère de bon sens. Bien que l'inaptitude soit une donnée incontestable et inévitable de la vie, les gens ont l'air surpris de l'apprendre, la prennent comme une attaque personnelle, se sentent bernés et réagissent en conséquence. De nombreuses personnes se plaignent de l'incompétence, ne savent pas comment s'y mesurer, en parlent comme d'un fléau, perdent leur temps et leur énergie à attendre et à souhaiter que cela cesse. J'ai vu des gens tellement s'indigner face à des preuves manifestes d'incompétence que j'ai cru qu'ils allaient avoir une crise cardiaque ! Au lieu de s'en accommoder comme d'un mal nécessaire, ils se mettent dans tous leurs états, aggravent le problème par leur comportement et, de rage, se jettent tête baissée contre un mur. En fin de compte, rien n'a changé si ce n'est que la personne contrariée a frôlé l'apoplexie.

Un jour, dans un restaurant à Chicago, j'ai croisé une serveuse si nulle que j'ai cru au départ être filmé à mon insu pour un sketch de caméra cachée. Autant que je me souviens, elle comprenait de travers toutes les commandes des clients. J'avais demandé un sandwich crudités et elle m'a apporté un énorme rosbif. Une personne à la table d'à côté souhaitait un milk-shake et s'est retrouvée avec une chope de bière, qui ne tarda pas à être répandue sur sa belle chemise en soie. Et toute la soirée se déroula ainsi. Pendant un moment, ce fut même très amusant. Lorsque enfin la note arriva, je m'aperçus que cette écervelée avait compté le rosbif, la bière de mon voisin, et un tee-shirt avec le logo du restaurant !

L'histoire suivante m'a été relatée par une employée d'une agence immobilière. En plus de vendre des maisons, elle s'occupait de mettre en relation ses clients avec les différents professionnels qui travaillaient sur leurs dossiers : banquiers, inspecteurs et experts. Elle me parla d'un expert avec qui elle avait collaboré à deux reprises et qui travaillait également avec plusieurs de ses collègues, et qui, suivant ses propres mots, était « au-delà de tout ce qu'on peut imaginer ». Sa mission consistait à estimer la valeur marchande d'un bien immobilier afin de garantir un minimum de risque sur le prêt accordé par la banque. Apparemment, il avait l'habitude d'apprécier les maisons au double de leur prix. Mon amie cherchait à vendre une maison qui valait approximativement 150 000 dollars, et que lui estimait à 300 000 dollars alors que la même maison voisine se vendait au prix du marché. Elle m'expliqua que c'était sa façon de faire habituelle, qu'il se fiait plus à son « instinct » qu'à toute méthode d'évaluation rationnelle. Imaginez le risque que les banques prenaient avec des prix qui n'avaient aucun rapport avec la réalité !

Le plus incroyable dans cette histoire, c'est que, toujours d'après mon amie, cet expert sévissait à son poste depuis plus de dix ans ! Malgré des signes évidents d'incompétence caractérisée, il continue d'offrir ses services à des banques qui s'en remettent à son jugement pour fixer leurs prêts.

Je ne dis nullement qu'il est amusant d'avoir affaire à ce genre d'hurluberlu, mais si vous ne souhaitez pas trop vous énerver, il importe de ne pas vous laisser prendre au dépourvu. Sachez qu'un certain degré d'incompétence est aussi prévisible qu'un jour de pluie. Tôt ou tard, le ciel se couvre. Aussi, au lieu de manifester votre consternation, souvenez-vous que c'est inévitable, qu'à un moment ou à un autre vous en serez le témoin. Accepter de voir les choses telles qu'elles sont réellement vous aidera sans doute à en prendre votre parti. Vous serez capable de garder votre sang-froid et de vous dire que la plupart du temps vous n'êtes pas directement concerné. Au lieu de vous focaliser sur un exemple particulièrement grave, qui vous renforcera dans votre croyance en cette calamité, essayez de reconnaître que, de manière générale, la majorité des gens font leur travail correctement. Avec de la pratique et un brin de patience, vous arrêterez de sortir de vos gonds pour des choses sur lesquelles vous avez très peu de prise.

Loin de moi l'idée que vous feriez mieux d'appartenir aux légions des incapables ni d'en faire l'éloge ou, si vous êtes employeur, que vous ne devriez pas remplacer les ouvriers bons à rien par du personnel qualifié. À tous les niveaux dans votre travail, vous allez forcément rencontrer (et devoir gérer) un certain degré d'incompétence. Aussi, pourquoi ne pas apprendre à le traiter comme il convient et ne pas vous laisser abattre ?

Je sais que devoir faire face à une absence totale de compétence n'est pas toujours facile, surtout si l'enjeu est important. Je peux cependant vous assurer que vous ne gagnerez pas grand-chose à perdre votre self-control.

La prochaine fois que vous serez confronté à une situation difficile, essayez d'en tirer le meilleur parti et puis passez à autre chose sans vous retourner. Plutôt que de mettre l'incompétence à la une des maux à combattre, voyez si vous ne pouvez pas la réduire à une simple anecdote. Si vous y parvenez, vous serez dès cet instant libéré d'une de ces menues contrariétés que nous réserve la vie.

58

Ne faites pas de remarques trop hâtives

Il m'est difficile de savoir combien cette stratégie m'a aidé dans ma vie professionnelle car les conséquences sont souvent subtiles. Je peux malgré tout affirmer qu'elle m'est d'une aide précieuse. Apprendre à être moins prompt à intervenir pour donner mon opinion m'a évité de longues conversations inutiles. Grâce à cela, je n'ai pas gaspillé mon temps, mon énergie et je me suis sans aucun doute épargné beaucoup de discussions houleuses.

Nous sommes nombreux à vouloir réagir à la moindre occasion. Nous sommes heureux de pouvoir donner notre point de vue au cours d'un débat ou lorsque nous pensons qu'une erreur risque d'être commise. Nous nous empressons d'offrir notre propre jugement, de faire nos commentaires sur une prise de position. Généralement, parler est une forme de soulagement. Quelquefois, furieux ou contrariés, nous laissons échapper des mots qui nous traversent l'esprit, une parole qui trahit nos émotions. Nous faisons des remarques sur le comportement de quelqu'un, ses pensées ou son apparence. Parfois nos commentaires sont acerbes, d'autres fois flatteurs ou agréables. Souvent nous faisons part d'une idée, d'une conviction, d'une solution éventuelle à un problème, d'une simple préférence.

Évidemment, il arrive aussi que nos proches soient demandeurs et réclament que nous leur fassions partager nos lumières. Nous y répondons de bonne grâce et nos observations sont loin d'être dénuées de fondement. Elles sont certainement d'une grande aide, nécessaires, utiles, voire distrayantes.

De temps à autre, nos interventions permettent de résoudre un conflit, de trouver un dénouement heureux, d'améliorer une façon de faire, ou de contribuer à rendre la vie plus facile.

Cela dit, inéluctablement, ouvrir le bec est parfois inutile, au pis contre-productif. Comme un cheveu sur la soupe, nos réactions à brûle-pourpoint trahissent un besoin irrépressible de parler. Elles déclenchent de nouvelles discussions, blessent des amours-propres, et ne font qu'ajouter à la confusion. Voilà ce que vous voulez éviter dans la mesure du possible.

Récemment, j'ai fait la connaissance d'une femme qui a été la protagoniste de l'histoire suivante. Après une journée harassante de travail, elle s'apprêtait à quitter son bureau et ne désirait plus qu'une chose : passer une soirée tranquille chez elle, prendre un bain chaud et se plonger dans la lecture d'un bon roman avant de s'endormir. Elle croisa quelques collègues dans le hall et leur dit au revoir.

Ces derniers étaient lancés dans une grande discussion qui ne la concernait qu'indirectement. Personne ne lui demandait rien. Mais en écoutant quelques échanges, elle eut une idée et décida de la soumettre au groupe. Vous devinez aisément la suite. Aussitôt après avoir expliqué son projet, elle se retrouva engagée dans la conversation et dans l'impossibilité de se retirer. Elle passa l'heure et demie qui suivit à argumenter et à défendre son point de vue. Elle rentra tard chez elle, épuisée, incapable de lire la moindre ligne, avec un mal de crâne effroyable.

Au quotidien, il existe des centaines, peut-être même des milliers d'exemples similaires. Cette femme n'avait rien fait de mal, sa seule intention était de rendre service. Mais sa remarque anodine avait eu pour effet d'alimenter un débat qui, au bout du compte, l'a éreintée. Y a-t-il des moments où il est opportun de se jeter à corps perdu dans de telles discussions ? Bien sûr. Il n'empêche que sa première intention était de passer une soirée au calme chez elle.

Il m'est arrivé fréquemment de faire la même chose. Par exemple, je suis sur le point de finir une conversation téléphonique quand, à la toute dernière seconde, je demande des nouvelles d'un ami commun. Ma question incite mon interlocuteur à s'engager dans une description détaillée et me voilà encore vingt minutes au téléphone. Pendant ce temps, quelqu'un d'autre attend mon appel et je commence à perdre patience. N'est-il pas évident que, dans de telles situations, c'est moi qui génère mon propre stress ?

De temps à autre, il nous arrive de faire un commentaire qui peut avoir des implications à long terme. Une fois, j'ai entendu une femme dans un petit bureau crier à une de ses collègues :

— Je n'ai jamais rencontré une personne aussi peu attentive que toi.

Une réaction moins directe lui aurait permis de lui faire part de ses sentiments de manière plus nuancée et plus profitable.

La question est de savoir combien de désagréments vous pouvez éviter en apprenant à vous mordre la langue avant une intervention intempestive. Ce changement peut grandement contribuer à embellir votre existence. C'est une idée assez facile à mettre en pratique : cela n'implique guère plus qu'une brève pause avant d'ouvrir la bouche, le temps d'examiner les conséquences éventuelles de votre intervention. Tentez l'expérience. Vous vous épargnerez des complications inutiles.

59

Ne vous enlisez pas
dans « l'incompatibilité d'humeur »

Invariablement, lorsque les gens me parlent des problèmes qu'ils rencontrent dans leur travail, le thème de « l'incompatibilité d'humeur » retient mon attention. Les phrases qui reviennent le plus souvent sont : « Je ne m'entends pas avec certains types de personnes », ou « Telles personnalités ne s'accordent pas avec la mienne ». Beaucoup sont convaincus qu'il y a des caractères inconciliables : pour ne citer que quelques exemples, les personnes timides ne rechercheraient pas la compagnie de celles qui sont exubérantes, les tempéraments sensibles n'aimeraient pas se retrouver avec des gens plus agressifs. Malheureusement, il est rare de pouvoir choisir ceux et celles avec qui nous travaillons. Généralement, nous prenons ce que nous trouvons. Et si nous ne pouvons pas nous abstraire des stéréotypes, nous sommes condamnés à une vie d'insatisfactions.

Il n'y a rien de pire qu'un conflit relationnel. Il est d'ailleurs facile de comprendre pourquoi certaines personnes nourrissent de tels préjugés à l'encontre de leur prochain. Si elles s'appuyaient sur un quelconque fondement, nous serions toujours sur la défensive, ce qui n'est manifestement pas le cas. J'ai rencontré des tas de collègues qui, suivant les idées reçues, n'étaient pas censés s'apprécier. Ils formaient en fait une super équipe. Et je suis prêt à parier que cela vous est arrivé aussi.

De nombreux salariés m'ont dit en substance :

— Je comprends ce que vous dites, mais les différends que j'ai pu avoir sont plus sérieux et plus particuliers. Par exemple, je ne peux pas travailler avec des gens bornés. Parfois, deux personnes sont tellement opposées qu'il n'y a rien à faire.

C'est peut-être vrai dans certains cas, mais s'entêter dans cette attitude négative est contraire au but recherché et, de surcroît, inutile.

Comme tout le monde, je préfère travailler avec certains genres de personnes plutôt qu'avec d'autres. En particulier, je n'aime pas travailler avec des gens arrivistes ou hyperactifs. Néanmoins, j'ai découvert qu'en faisant un léger effort, et avec une vision à long terme, je suis capable de m'associer à n'importe qui. Le truc, je crois, repose sur la douceur. Il est impossible de travailler quand on se regarde en chiens de faïence ou que l'on est à couteaux tirés avec un collègue.

Ce qui marche bien chez moi, c'est de penser en termes d'entente. Autrement dit, j'essaie d'assumer la relation et de me charger de sa réussite possible : je mets la balle dans mon camp. Plutôt que de renoncer à la relation (ou à une collaboration de travail) ou de penser qu'elle est vouée à l'échec, j'envisage des solutions : je relève le défi, sans me donner le beau rôle ni diaboliser les autres. Ainsi je garde mon esprit en éveil et mon sens de l'humour reste intact. Calmement, je tente de m'enlever de la tête l'idée selon laquelle l'univers entier devrait penser ou agir comme moi. Et presque immanquablement, cela ouvre mon cœur et mon champ de vision.

Amy et Jan enseignent toutes les deux à une classe de CM1 dans la même école primaire. Les deux institutrices étaient censées travailler ensemble sur le programme scolaire. Le problème était qu'elles ne se supportaient pas et étaient constamment en train de se critiquer. Non contentes de se casser mutuellement du sucre sur le dos, elles abusaient d'invectives. De toute évidence, les deux femmes n'envisageaient aucune réconciliation possible. À une réunion de parents d'élèves, j'ai même été le témoin d'une de leurs empoignades. Amy accusa sa collègue d'être tellement brouillon et pointilleuse que ses élèves ne pourraient jamais passer en CM2 l'année suivante. Jan répliqua qu'Amy était non seulement incompétente mais que les parents devaient savoir qu'elle avait ses chouchous et qu'elle notait plus durement les enfants qu'elle n'aimait pas.

Leur incapacité à respecter leurs différences et à dépasser leur brouille ridicule consterna les adultes, déjà visiblement énervés. Le restant de l'année scolaire fut tendu, agité, angoissant pour les papas et les mamans et très désagréable pour les deux enseignantes, qui l'avaient bien mérité. Au lieu de comprendre que la diversité des personnes et des méthodes pédagogiques pouvait apporter un plus à leur enseignement, ces deux femmes vivaient leurs différences comme des attaques personnelles et étalaient au grand jour leur animosité. Dans cet exemple, il n'y eut pas de gagnant.

Me retirer de ce type de conflit m'a fait un grand bien dans ma vie professionnelle. J'ai suffisamment de recul pour m'apercevoir que très souvent, c'est un avantage de collaborer avec des gens qui ne pensent pas comme moi, et que cela rend le travail d'autant plus intéressant. Je vous propose d'adopter le même point de vue concernant vos prétendues incompatibilités d'humeur. Vous vous déchargerez d'un grand poids en vous en débarrassant au plus vite.

60

Ne vous laissez pas déborder
par tout ce qui est prévisible

Dans de nombreux domaines, on croise invariablement les mêmes problèmes. La première fois que vous les rencontrez, ou si vous êtes pris au dépourvu, il est compréhensible que vous soyez soucieux ou angoissé. Cependant, une fois que vous avez intégré ces impondérables à vos habitudes et que vous savez comment les gérer, il est ridicule de se mettre dans tous ses états quand ils resurgissent. Pourtant, beaucoup de gens continuent à se sentir accablés et affolés, même après avoir saisi les règles du jeu. Ils s'agitent, ne décolèrent pas, et se plaignent d'une situation qui ne devrait plus les surprendre. C'est pour moi l'exemple type du stress que l'on provoque soi-même.

J'ai plusieurs amis d'un tempérament plutôt serein, qui étaient stewards à bord de vols de grandes compagnies aériennes. D'après ce qu'ils m'ont raconté, ils ont eu l'occasion de travailler avec des collègues qui ne pouvaient s'empêcher de craquer (heureusement sans que les passagers s'en aperçoivent) pour des motifs anodins, eu égard à leur profession.

Une hôtesse devenait hystérique chaque fois que son vol avait du retard. Elle appelait son mari pour se plaindre des inconvénients de son job, et faisait part de son amertume à ses collègues (qui avaient déjà entendu le même refrain des centaines de fois auparavant). Plutôt que de se dire qu'elle en verrait d'autres, elle se torturait l'esprit pour un incident auquel elle devait s'attendre.

Un steward était toujours très irrité lorsqu'il avait affaire à un passager grossier ou incorrect. Il était évidemment assez intelligent pour savoir que cela risquait d'arriver un jour ou l'autre. Néanmoins, chaque fois, il entrait dans une rage folle et ressentait le besoin de faire partager sa colère à ses collègues. Résultat : il attirait l'attention des autres stewards sur les quelques voyageurs irrespectueux et oubliait que la majorité des autres se comportait très bien.

J'ai connu aussi un comptable qui devenait irascible à l'approche des mois de mars et d'avril, car ses heures journalières rallongeaient et il était dans l'impossibilité de quitter son bureau avant cinq heures en période de bilan. Il trépignait et s'apitoyait sur son sort, trouvait sa situation injuste alors qu'elle se reproduisait chaque année. J'ai rencontré un agent de police qui ne supportait pas que les automobilistes dépassent la limite de vitesse autorisée. Il enrageait et dispensait aux contrevenants de terribles sermons, oubliant que son travail consistait précisément à arrêter les chauffards et à assurer la sécurité sur les routes. J'en ai parlé avec d'autres agents de police qui considéraient cela comme faisant partie intégrante de leur mission et jugeaient qu'elle ne méritait pas que l'on s'énerve.

Avant de dire : « Ces exemples sont stupides », ou : « Je n'ai jamais été préoccupé par ces choses-là », examinez attentivement vos réactions. Il est aisé de critiquer les emportements d'autrui mais beaucoup moins facile d'admettre que vous pouvez également faire toute une histoire d'une réalité incontournable. Je reconnais que moi-même j'ai commis cette erreur plus d'une fois et sans doute ne suis-je pas le seul. En considérant certains aspects de votre travail comme prévisibles, vous vous épargnerez de grandes insatisfactions.

Quoique les particularités et les ennuis propres à chaque métier soient différents, j'ai découvert que certains schémas sont communs à toutes les professions. Les retards, par exemple. Vous devez attendre des instructions, des fournisseurs, une commande, un rendez-vous, et vous avez l'impression que vous êtes victime d'atermoiements. C'était à prévoir, et il faut prendre son mal en patience. Si vous parvenez à accepter l'inévitable, vous ne ressentirez pas de pression. Au contraire, vous apprendrez à gérer la situation sans effort.

Dans la plupart de nos activités, il y a toujours plus de travail à effectuer que de temps pour en venir à bout. En regardant autour de vous, vous vous apercevrez que tout le monde est dans le même bateau. Un dossier n'est même pas bouclé qu'un nouveau vient s'empiler sur votre bureau. Il n'y a là rien d'étonnant. Si vous travailliez deux fois plus vite que d'habitude, cela ne changerait pas vos délais et vous ne tarderez pas à remarquer qu'il vous reste du pain sur la planche. Encore une fois, cela ne signifie pas que vous ne devez pas être exigeant envers vous-même ou que vous ne devriez pas vous donner à fond dans votre activité. Cela signifie simplement que vous n'avez pas besoin de vous torturer l'esprit sur ces tâches sans fin.

En replaçant ces divers travers, occasionnés par le travail, dans leur juste perspective, vous éliminerez quantité de déboires. Vous avez toujours la possibilité de préparer mentalement vos réactions pour le jour où ce qui devait arriver arrivera. Vous vous sentirez plus à votre aise et peut-être apprendrez-vous à vous détendre. J'espère que cet éclairage vous sera aussi utile qu'il l'a été pour moi.

61

Planifiez !

Récemment, j'ai reçu un appel désespéré de ma comptable, qui a eu recours à une excuse des plus éculées pour m'annoncer qu'elle était en retard. Elle entonna la vieille rengaine : « C'était vraiment très compliqué. Cela m'a pris beaucoup plus de temps que prévu. » Si vous analysez lucidement la scène, je pense que vous serez d'accord avec moi pour dire que c'est une explication ridicule qui met non seulement mal à l'aise la personne qui est en retard mais aussi celle qui est contrainte d'attendre. Et rien ne prouve qu'à l'avenir vous serez ponctuel ou moins victime du manque de temps.

Tout projet s'effectue dans une certaine durée. C'est vrai aussi bien pour une feuille d'impôts à remplir que pour taper un rapport, dessiner les plans d'une maison, rédiger un livre ou n'importe quel autre travail. Et même s'il y a des imprévus que nous ne pouvons pas entièrement contrôler, la vérité est que, dans la majorité des cas, vous pouvez raisonnablement estimer le temps dont vous avez besoin pour accomplir une tâche en tenant compte des paramètres que vous ne connaissez pas a priori.

Par exemple, la comptable dont je parlais était bien consciente, avant de le commencer, du degré de complexité de son travail et elle aurait dû y penser pour bien gérer son temps. Elle connaissait aussi, comme tous les contribuables, la date limite à laquelle on doit retourner sa feuille d'impôts ! Pourquoi a-t-elle donc attendu si longtemps pour démarrer ? Et pourquoi cette excuse alambiquée au lieu d'admettre qu'elle avait trop attendu pour s'y mettre ? Son ouvrage lui aurait demandé exactement le même nombre d'heures si elle s'y était attelée un mois plus tôt ou si elle l'avait remis à plus tard.

Ce type de situation est courant aussi bien dans la vie professionnelle que dans la vie quotidienne. Je connais plein de gens qui ne sont jamais à l'heure pour aller chercher les enfants à l'école, se rendre à l'église, ou pour préparer le dîner avant l'arrivée de leurs invités. Et les prétextes qu'ils invoquent pour se justifier sont encore plus pitoyables que leur conduite : « Je dois accompagner trois enfants », « Ce n'est pas facile de sortir de chez soi en ayant tout préparé », « Inviter des gens à dîner me donne plus de travail ».

Je ne nie pas qu'il soit ardu de parvenir à tout faire, mais dans tous les exemples cités, les données variables sont connues. Ils savent combien d'enfants ils ont, combien de temps il faut pour les préparer et les déposer. Ils savent combien de temps dure le trajet entre leur domicile et leur bureau, et sont conscients des embouteillages. En priant des amis de venir dîner chez vous, vous savez parfaitement que cela représente un surplus de travail. Lorsque nous nous réfugions derrière la formule : « Je n'ai pas eu assez de temps », nous nous bernons nous-mêmes, en nous autorisant pour ainsi dire à refaire la même erreur la prochaine fois.

Ne pas persister dans cette impasse exige de l'humilité. La seule solution est d'admettre que, dans la plupart des cas, vous disposez d'assez de temps, mais il vous faut débuter un peu plus tôt et prendre toutes vos précautions pour ne pas avoir à tout faire à la dernière minute. Aussi, si vous êtes constamment en retard de cinq minutes ou d'une demi-heure, et que cela finit par vous irriter ainsi que le reste de votre famille, il vous faut faire un effort pour commencer cinq minutes ou trente minutes plus tôt.

Je devais rendre ce livre le 1er septembre de l'année dernière. Cette date m'avait été communiquée six mois plus tôt. J'avais donc tout mon temps. Pensez-vous qu'attendre le 15 juillet pour m'atteler au travail aurait été une bonne idée ? Bien sûr que non. J'aurais écrit à la hâte, dans de mauvaises conditions, et mon éditeur m'aurait harcelé. C'est pourtant ce que font beaucoup de gens dans leur vie professionnelle.

Ils traînent trop longtemps avant d'entreprendre une activité et regrettent ensuite le peu de délai qu'il leur reste.

Imaginez tout le stress que vous auriez pu vous éviter en partant juste un peu en avance. Au lieu d'agripper votre volant et de slalomer entre les voitures pour parvenir à l'heure au bureau ou à l'aéroport, vous auriez eu quelques minutes à vous pour souffler. Vous auriez sans doute préféré que les parents, dont vous deviez aller chercher les enfants, ne se fassent pas trop de souci et ne pas avoir la réputation de quelqu'un d'irresponsable.

C'est une des recommandations les plus simples que j'aie à donner mais une des plus importantes. Une fois que vous aurez pris l'habitude de démarrer un peu plus tôt, une bonne dose de votre stress quotidien, du moins celle sur laquelle vous avez un minimum d'influence (le temps), se volatilisera.

62

Envisagez tout désaccord avec calme

Il est quasiment impossible d'imaginer de travailler toute une vie sans rencontrer un seul conflit. Après tout, nous vivons dans un monde où les intérêts, les désirs et les choix sont divergents. Nous avons des idéaux et des attentes contradictoires. Un travail qui est considéré par une personne comme terminé et bien fait semblera déplorable aux yeux d'une autre. Une tâche que vous jugez urgente ou absolument indispensable paraîtra presque sans intérêt pour quelqu'un d'autre. Il y a tellement de problèmes et d'êtres humains différents pour les résoudre qu'une mésentente semble inévitable. À tout moment, pour clarifier un projet, bousculer une apathie ambiante, faire en sorte que les choses bougent, désamorcer une querelle, sortir d'une impasse, ou améliorer la communication au sein d'un groupe, vous serez forcément confronté à un interlocuteur.

Même si les oppositions semblent inévitables, elles ne doivent pas nécessairement prendre l'allure d'un duel au sommet ou entraîner des rancœurs, de la colère et des désagréments. Il est tout à fait possible de discuter posément d'un désaccord avec un collègue, ce qui conduira au résultat escompté et permettra aux deux parties de se rapprocher.

Il me semble que trop souvent les gens sont démesurément querelleurs ou lèvent leur bouclier lorsqu'ils se sentent attaqués. Ils perdent leur humanité et leur retenue. Ils abordent le problème comme s'ils avaient raison et que l'autre avait tort. Ils croient que les affrontements sont par définition violents et que l'offensive est la meilleure approche.

Si vous êtes trop agressif, les autres verront avant tout votre hostilité, ce qui les renforcera dans leurs positions. Les gens vous tiendront au mieux pour quelqu'un de désagréable, au pis comme un ennemi. Lorsqu'ils sont sur la défensive, ils ne font aucun effort pour écouter, deviennent incroyablement butés, changent rarement de point de vue et ne cherchent pas à résoudre le problème. Ils ne se sentent pas respectés et n'ont plus aucun égard pour vous. Aussi, si vous dégainez le premier, il y a des chances pour que vous mordiez la poussière.

La solution pour qu'une dissension soit productive est d'être ferme tout en gardant son calme et son doigté. Envisagez la polémique avec l'idée qu'il y a une issue et que vous serez capable d'y trouver quelque chose de positif. Plutôt que de compter les points, essayez de vous considérer, ainsi que votre interlocuteur, comme innocent. Ne prononcez pas des phrases qui ne manqueront pas de déclencher une réaction négative telle que : « Vous avez commis une grave négligence, il faut que nous parlions. » Essayez plutôt de dire les choses d'un ton conciliateur, du genre : « Un détail m'échappe, pourriez-vous m'aider ? »

Les sentiments sont plus importants que les mots. Ce n'est pas toujours possible, mais mieux vaut éviter le conflit lorsque vous êtes en colère ou sous pression. Attendez de recouvrer votre sang-froid ou votre bonne humeur. Gardez à l'esprit que la plupart des gens sont polis, raisonnables, et disposés à écouter une personne calme, maîtresse d'elle-même, qui leur parle ouvertement.

Lorsque vous gérez vos antagonismes en douceur, cela produit de meilleurs résultats et votre taux d'adrénaline n'augmente pas. Autrement dit, l'affabilité vous rend pacifique, même si l'affaire que vous avez à régler est délicate. Il est très rassurant de savoir que vous allez conserver votre flegme malgré un débat houleux.

La prochaine fois que vous aurez affaire à quelqu'un, pour quelque raison que ce soit, soyez léger. Si vous souhaitez que votre vie ressemble moins à une guerre permanente, c'est un excellent moyen de commencer.

63

Souvenez-vous des trois « R »

Voici une stratégie facile à mémoriser puisque le conseil que je vous donne se résume à trois mots, qui commencent par la lettre « R ». Je vous engage ici à vous montrer réfléchi, réceptif et raisonnable.

Être « réfléchi » signifie agir de manière posée face à une difficulté. Au lieu de vous laisser guider par des automatismes, vous gardez votre sens des proportions et choisissez en pleine connaissance de cause la meilleure option possible concernant une situation donnée. Parce qu'elles sont capables d'englober d'un coup d'œil le tableau entier, les personnes réfléchies peuvent intégrer dans une équation toutes les variables d'un problème, sans se limiter à leurs manières de procéder habituelles. Elles sont prêtes à changer de cap, si nécessaire, et à admettre leurs erreurs s'il le faut.

Par exemple, il n'est pas rare qu'un entrepreneur en bâtiment rencontre des complications par rapport aux plans initiaux : un terrain glissant, un manque de capitaux, des erreurs de conception. S'il n'écoute que son instinct, notre entrepreneur paniquera, dramatisera, et sera moins enclin à recevoir des conseils. Un bon chef de chantier prendra les devants, se montrera à la hauteur de la situation et réalisera un excellent ouvrage.

Être « réceptif » implique de s'ouvrir aux idées et aux suggestions. Ce qui veut dire que vous êtes disposé à accueillir tout ce dont vous avez besoin à tel moment : données, créativité, nouvelle conception, etc. C'est le contraire de l'attitude fermée et bornée. Les personnes réceptives ont la faculté de se remettre en question et la volonté de comprendre, même si elles sont considérées comme expertes dans leur domaine. Elles assimilent vite et sont inventives. On a plaisir à travailler avec et elles s'intègrent parfaitement dans une équipe, car elles ne pensent pas avec des œillères et apprécient les points de vue contradictoires.

Je connais un P-DG à la retraite qui est l'une des personnes les plus sociables que j'aie eu le privilège de rencontrer. Il ne craignait pas de demander conseil à ses employés. Plutôt que de penser que ses réponses étaient toujours plus valables que celles des autres, il mettait son ego de côté et tentait de déterminer la meilleure marche à suivre. Il s'en expliqua :

— Cela me facilitait la tâche. En étant sincèrement à l'écoute des suggestions de mes salariés, j'avais l'aide de centaines de brillants esprits qui collaboraient, et je n'avais plus à compter sur mon seul petit cerveau.

Être « raisonnable » suppose la capacité de voir les choses équitablement, sans le parti pris qui voile si souvent notre vision. C'est la faculté de percevoir notre possible contribution à une affaire et la volonté d'écouter et de comprendre des avis divergents. Cela implique de pouvoir se mettre à la place de l'autre, d'être apte à garder un cap, et de voir les choses en grand. Les personnes raisonnables sont appréciées et respectées. Du fait qu'elles sont à l'écoute, les autres prêtent volontiers attention à ce qu'elles ont à dire. Ces personnes suscitent peu d'inimitiés, et leurs conflits se résument à peu de chose. Elles parviennent à dépasser leurs désirs ou besoins et à être plus compatissantes et bienveillantes vis-à-vis de leur entourage.

Si vous vous efforcez d'être réfléchi, réceptif et raisonnable, il y a de grandes chances pour que tout s'arrange dans votre vie.

64

Quittez votre rôle de grincheux

Marmonnements, ronchonnements et à nouveau marmonnements. Voilà ce que fait le grincheux, à force de prendre les autres, soi-même et le monde entier trop au sérieux. À peine a-t-il ouvert les yeux qu'un problème se pose. Il est toujours en train de critiquer, de froncer les sourcils, de se mettre en colère, d'être sur la défensive. Il est pressé, amer et stressé. C'est quelqu'un qui attend toujours que la vie s'améliore. Serait-ce votre cas ?

Maintenant, faites preuve d'imagination et projetez-vous dix, vingt, trente ans en avant. Êtes-vous toujours émerveillé par le don de la vie ? Si ce n'est pas le cas, vous avez raté le coche, et, malheureusement, il n'y a plus rien à faire. Tant que vous êtes en bonne santé, que vous vous épanouissez dans votre métier, qu'il y a des affaires à traiter, vous avez comme l'impression que la vie ne s'arrêtera jamais. Mais nous savons tous au fond de nous-même qu'en réalité le cours de la vie s'écoule très rapidement. Vous avez la chance d'explorer le monde et ses diverses facettes, or vous l'avez pris, en quelque sorte, comme un dû. Et vous passez votre temps à geindre et à souhaiter que la vie soit différente.

Si vous avez déjà atteint un certain âge et que vous regardez en arrière, considérez-vous que d'avoir été aussi sérieux et grognon vous a rendu heureux ? Si vous pouviez tout recommencer, si vous pouviez tout effacer et revivre les années passées, agiriez-vous à l'identique ?

Nous sommes tous trop sombres. Peut-être est-ce inhérent à la nature humaine. Mais il y a un fossé énorme entre être grave de temps en temps et être constamment de mauvaise humeur. Heureusement, il n'est jamais trop tard pour changer. En fait, dès que vous avez compris combien vous êtes ridicule, votre métamorphose s'opère rapidement.

Un être grincheux condamnera l'existence au nom de son humeur acariâtre. Il renforcera son attitude en stigmatisant les questions ou les ennuis auxquels il doit faire face. Il justifiera sa position en dénonçant les injustices de ce monde et les défauts de ses semblables. Il ne lui vient pas à l'esprit que sa vision de l'univers émane peut-être de ses propres convictions ou croyances.

Charles Schulz, génial inventeur de Snoopy, est l'un de mes dessinateurs de bandes dessinées préférés depuis toujours. Dans un de ses dessins, on voit Charlie Brown, les épaules voûtées, la tête à l'envers. Les sourcils froncés, le pauvre garçon explique à son copain Linus que si l'on veut être déprimé, il est important de rester dans cette position sans bouger. Et il ajoute que s'il se redressait, se tenait droit, baissait les épaules et souriait, il ne pourrait pas déprimer plus longtemps.

De même, un homme grincheux est sur la voie de la guérison s'il reconnaît l'absurdité de son comportement. Pour passer d'une humeur maussade à un tempérament plus enjoué, faites preuve d'humour, retournez-vous sur votre passé et moquez-vous de vous-même.

Si vous êtes un grognon, il est encore temps de changer. La vie est vraiment trop courte pour se la gâcher.

65

Débarrassez-vous-en !

Il est quelquefois nécessaire de se souvenir de ce qui est évident, surtout lorsque vous angoissez, que vous êtes embarrassé ou contrarié. Vous vous en êtes sans doute rendu compte, il est facile d'oublier les choses que l'on a le moins envie de faire, de temporiser, de les reporter à la semaine des quatre jeudis. On se débrouille toujours pour effectuer le plus ennuyeux à la toute dernière minute.

Je me suis créé une règle qui m'a épargné des milliers d'heures de stress inutile et de sombres cogitations. Cette règle consiste à m'attaquer d'emblée au plus ardu ou au plus fastidieux ou au moins agréable, afin de m'en débarrasser le plus rapidement.

Je dois passer un coup de fil rébarbatif, résoudre un conflit, me pencher sur un problème technique, m'engager dans une confrontation, refuser une candidature à l'embauche ? Je préférerais courir un marathon avant d'en passer par là. Et pourtant, dorénavant je m'acquitte de ces tâches peu gratifiantes en tout premier lieu. De cette façon, j'évite tout le stress que j'aurais inévitablement accumulé si j'avais atermoyé. Mieux encore, je découvre que je suis plus performant si j'affronte sans tarder la situation parce que, n'ayant pas passé la journée à redouter l'instant où je décrocherai le combiné ni à répéter mentalement la conversation, je suis plus disponible pour écouter et parler, ce qui est fondamental pour trouver des solutions élégantes et efficaces.

Ce n'est pas en renvoyant aux calendes grecques des devoirs pénibles qu'ils disparaissent. Au contraire, telle l'épée de Damoclès, ils restent au-dessus de votre tête. Et plus vous attendrez, plus le problème risquera de s'amplifier dans votre esprit : vous imaginerez le pire et votre inquiétude ira croissant. Cette effervescence cérébrale n'est pas faite pour vous détendre et votre travail s'en ressent. Votre jugement, vos performances et votre lucidité sont émoussés.

La solution est de vous attaquer tout de suite à cette besogne délicate, afin de vous en libérer. Une fois que vous en aurez fini, vous pousserez un soupir de soulagement et vous vous sentirez plus léger.

Je suis sûr qu'il existe des exceptions, mais pour ma part je n'ai encore jamais regretté d'avoir pris cette décision. Je suis persuadé que cette stratégie m'a aidé à me rasséréner et à éprouver plus de joie dans ma vie professionnelle. Là où le bât blesse, c'est que, depuis que j'ai révélé cette stratégie, chaque fois que je passe un coup de fil matinal à un lecteur, il croit que j'ai de mauvaises nouvelles à lui apprendre.

66

Ne vivez pas dans un futur imaginaire

Vous rêvez à plus de bonheur, moins de tension ? Commencez par vous intéresser à ce que j'aime appeler « la prospective mentale » ou futur imaginaire. Ce type de réflexion consiste à s'imaginer combien votre vie serait meilleure si certaines conditions étaient réunies, ou au contraire combien elle serait horrible, préoccupante ou compliquée si quelque événement fâcheux devait survenir. Ces anticipations se traduisent par des phrases du genre : « Je ne me sentirai vraiment indispensable que lorsque j'aurai eu cette promotion » ; « Tout ira cent fois mieux quand j'aurai fini de rembourser mon crédit auto » ; « Mes journées seront tellement moins chargées lorsque je pourrai engager un assistant » ; « Ce travail n'est qu'un premier pas vers l'amélioration de ma vie matérielle » ; « Ces prochaines années seront vraiment dures, mais après, à moi les voyages ! ». En réalité, vous vous transportez en pensée vers l'avenir et vous en oubliez les moments présents de votre vie, ce qui revient à ne jamais éprouver du plaisir au quotidien.

Il existe d'autres formes, à plus courte échéance, de ce type de raisonnement : « Les prochains jours vont être insupportables » ; « Demain, je vais avoir une journée éreintante ! » ; « Tout ce que je sais, c'est que mon rendez-vous se soldera par un désastre » ; « Je suis sûre que mon patron va me passer un savon » ; « Je redoute le jour où je devrai former la nouvelle employée ». Il y a des variations infinies de cette tendance au stress. Quoique chaque histoire soit particulière, elles débouchent toutes sur le même malaise !

— J'avais l'habitude de toujours m'angoisser quand approchait la date du bilan annuel, déclare Janet, administratrice dans une fabrique de pièces détachées. À la fin, j'ai décidé de rompre avec mes habitudes. L'appréhension me rongeait et je n'avais plus aucune énergie. J'ai réalisé qu'en quinze ans je n'ai eu à donner qu'une seule fois un bilan négatif, et encore il ne s'était rien passé. Aussi, pourquoi s'affoler autant ? Ce que nous craignons arrive rarement, et s'en tourmenter à l'avance ne résout rien.

Gary, un gérant de restaurant, se décrivait lui-même comme « un éternel inquiet ». Chaque soir, il prévoyait le pire : clients mécontents ou désagréables, nourriture volée, viande contaminée, salle vide.

— J'étais toujours en état d'alerte maximale.

À l'époque, il croyait que son attitude lui était dictée par la prudence, et que ses prévisions avaient le don de conjurer les événements funestes. Il finit par s'apercevoir que, dans certains cas, ses sombres présages créaient des problèmes là où il n'y en avait pas. Gary décida qu'on ne l'y reprendrait plus.

— Je me faisais un monde de tout, et je piquais des colères terribles. Comme je m'attendais au pire et que je pensais que mes employés allaient commettre des erreurs, j'étais impitoyable pour la moindre broutille. Quand une serveuse comprenait une commande de travers, je lui passais un de ces savons ! Elle se vexait, le prenait mal et, du coup, faisait des fautes beaucoup plus graves. Je me rends compte maintenant que, la plupart du temps, c'était ma faute.

Bien évidemment, faire des projets ou envisager l'avenir participe pleinement de la réussite. On a tous besoin de se figurer la voie sur laquelle on souhaite s'engager. Cela dit, en général, on prend son programme trop à cœur et on ose à peine en dévier. On en vient à sacrifier le présent, tangible et réaliste, au profit du seul produit de notre imagination.

Quelquefois des gens me demandent :

— N'est-ce pas fatigant, voire infernal, de faire une tournée de promotion, de devoir changer tous les jours de ville, de vivre pendant des semaines avec sa seule valise ?

J'avoue qu'il m'arrive d'être épuisé et de déplorer ce mode de vie. Mais tant que j'aborde les événements les uns après les autres, je reconnais y prendre un immense plaisir. J'y consacre tout mon temps et toute mon énergie, et si je devais en plus penser à mes rendez-vous du lendemain, à mes dix prochaines apparitions en public, ou aux heures qu'il me reste à passer dans l'avion, je serais débordé et accablé avant d'avoir commencé. Chaque fois que l'on pense à la quantité de choses que l'on doit accomplir sans canaliser son énergie sur le présent, on augmente son stress.

La solution est la même pour tous. Si vous appréhendez une réunion ou que vous angoissez à l'idée de dépasser une date fatidique, l'astuce consiste à observer la manière dont votre crainte accapare vos pensées. Une fois que vous aurez repéré le lien qui prévaut entre vos réflexions et votre sentiment d'inquiétude, vous serez capable de prendre du recul. Maîtriser les pérégrinations de son esprit est le meilleur régulateur de stress qui soit.

67

Rendez quelqu'un heureux

J'ai passé des années à m'intéresser au stress et à enseigner les voies du bonheur, et je suis surpris par la simplicité enfantine de la meilleure méthode pour se débarrasser de sa fatigue nerveuse. Il s'agit d'une des premières leçons que mes parents m'ont données dans mon enfance : si l'on veut se sentir bien dans sa peau, il faut rendre heureux les autres ! Élémentaire, n'est-ce pas ? C'est sans doute la raison pour laquelle on y pense aussi peu.

J'ai toujours essayé d'intégrer cet enseignement à ma vie professionnelle et je n'ai eu qu'à me féliciter du résultat. Chaque fois que je prends la peine de prodiguer du bonheur à quelqu'un, ma journée s'illumine et j'éprouve moi-même une certaine euphorie. Rien n'est plus beau en ce bas monde que les sentiments qui accompagnent nos actes de bonté et nos gestes les plus généreux. Envoyer une carte de vœux pour un anniversaire, prendre le temps d'écrire une petite lettre de félicitations pour un travail soigné, faire un compliment, passer un coup de fil amical, rendre un service, offrir un bouquet de fleurs, adresser une note d'encouragement, bref toute intention de faire plaisir à son prochain s'avère presque toujours une bonne idée.

Les comportements altruistes et les actes bienveillants sont merveilleux en soi. Il y a un vieux dicton qui dit : « Donner, c'est se récompenser soi-même. » C'est certainement vrai. Lorsque vous comblez quelqu'un de joie, l'émotion vive et positive qui vous étreint alors vous rétribue au centuple. Aussi, dès aujourd'hui, pensez à quelqu'un à qui vous aimeriez faire plaisir et savourez votre récompense.

68

Luttez avec votre cœur

La compétition fait partie de la vie. Prétendre qu'elle n'existe pas ou qu'on l'évitera à tout prix serait ridicule. Pour ma part, j'ai toujours aimé batailler. Enfant, j'étais le coureur le plus rapide de l'école, et j'ai obtenu le titre de champion de tennis de ma catégorie en Caroline du Nord. Au lycée, j'étais également inscrit à la fédération d'athlétisme et, à l'université, j'ai reçu une bourse en ma qualité de plus jeune capitaine de l'équipe de tennis. J'ai aussi participé à trois marathons.

À l'âge adulte, mon amour de la compétition ne m'a pas quitté, non seulement dans le domaine du sport mais également dans celui des affaires. J'adore négocier, acheter au plus bas prix et revendre au plus haut. Je suis fier d'être inventif, et j'aime à croire que j'ai du flair. La concurrence dans le monde de l'édition est féroce. Je suis content lorsque mes livres marchent bien, et ravi d'être ovationné après un discours. J'irais même jusqu'à soutenir que si je n'étais pas aussi combatif, je n'aurais pas la possibilité d'aider beaucoup de monde.

Je vous confie tout cela parce que beaucoup de mes proches m'estiment trop flegmatique pour me jeter dans la mêlée, ce qui est faux. Même une personne calme et amène est capable de lutter avec son cœur et de vaincre des difficultés. On peut être un battant, réussir dans les affaires, faire un malheur, se lancer des défis, tout en conservant le sens des réalités, en rendant service ou en prenant la vie du bon côté.

Lutter avec son cœur signifie combattre moins par désir névrotique et désespéré de gagner coûte que coûte que par amour de ce que l'on fait. Agir est déjà gratifiant en soi, surtout quand on s'immerge tout entier dans ce qu'on est en train de faire : la transaction, la vente, la négociation, la conversation, etc. Lorsque l'on travaille dur, qu'on y met toute son âme, l'ouvrage lui-même est source de contentement, et triompher devient secondaire. Envisagée ainsi, votre vie professionnelle est plus équilibrée. Même si vous vous lancez à corps perdu dans la bataille, il vous suffira d'une petite pause pour reprendre des forces. Vous récupérerez très rapidement. Vous ne vous laisserez pas abattre. Vous serez beau joueur. N'étant pas obnubilé par des lauriers à récolter, vous apprendrez de vos erreurs et de vos défaites. Vous irez de l'avant.

D'aucuns prétendent que rien n'est plus important qu'une victoire. Selon moi, c'est une absurdité complète provenant d'une idée fausse selon laquelle on ne connaîtra pas le succès si l'on n'aspire pas au sommet. Je peux dire que je n'ai jamais eu pour ambition de gagner, bien que j'aie remporté de nombreuses récompenses, divers concours et que j'aie terminé premier lors de diverses épreuves. Financièrement, je me suis également très bien débrouillé et j'ai fait des investissements très judicieux. Mais, si je m'étais laissé emporter par le goût de la compétition en oubliant ma propre humanité, mes succès m'auraient laissé un goût amer.

— C'est peut-être parce que je suis plus vieille, mais depuis que j'ai atteint la cinquantaine, je suis devenue beaucoup plus conciliante, déclare Mary, une productrice de télévision. Quand j'y repense, je m'aperçois combien j'étais dure et odieuse. J'ai repoussé des gens et leurs idées comme s'ils étaient de simples Kleenex. On a dû me détester. C'est étrange, aujourd'hui je suis aussi sélective et difficile qu'avant mais désormais, lorsque je dois rejeter une candidature, je le fais avec tact, pour ne pas heurter la personne concernée. Je me préfère comme je suis maintenant.

Ed s'est chargé des réductions budgétaires d'une entreprise de biotechnologie pendant cinq ans. Son histoire m'a fait dresser les cheveux sur la tête :

— J'ai du mal à l'admettre, mais je ressentais un certain frisson quand je renvoyais des gens. Je n'étais pas un monstre, mais il est vrai que diminuer les dépenses m'importait bien plus que les répercussions des licenciements auxquels je procédais. Je mesurais mon efficacité en fonction du nombre de personnes que je remerciais, et c'est ainsi que l'on me jugeait. Leurs angoisses, leurs ressources, les trois enfants qu'elles avaient à charge, leur crédit à rembourser... je m'en fichais éperdument. Puis un jour ç'a été mon tour ! Sans avoir été prévenu, j'ai été viré, ou plutôt « démis de mes fonctions ». Je suis persuadé que beaucoup de gens se sont réjouis de mon limogeage et ont pensé que je l'avais bien mérité. C'est certainement vrai, mais je peux vous assurer que ce fut sans doute la meilleure chose qui me soit arrivée. J'ai ouvert les yeux et je suis devenu beaucoup plus compréhensif. Je ne traiterai plus jamais les gens ainsi.

On voit bien quelle incidence sociale cette soif d'approbation et de succès entraîne. Les gens qui ne travaillent que dans l'idée de gagner deviennent, selon le cas, de pitoyables perdants ou de piteux vainqueurs. Quand on perd, on désespère et quand on gagne, il n'y a pas de quoi se vanter, le résultat final n'est pas glorieux.

Je vous conseille pour ma part de faire des efforts, de travailler dur, de profiter de chaque instant que Dieu fait, et de laisser le bonheur vous envahir, même si vous échouez.

Agir avec son cœur est un don, qui aide à conjuguer réussite et équilibre.

69

Laissez tomber
lorsque vous ne savez pas quoi faire

Voici une technique mentale remarquable, qui s'apparente même à un *modus vivendi*. Cette idée toute simple, vous l'aurez deviné, vous empêchera de vous noyer dans un verre d'eau.

Face à une question épineuse, on se triture les méninges, on y réfléchit longuement, on fouille dans son esprit en quête d'une solution miracle. On réessaie plusieurs fois, on pense intensément, on tente de cerner toute la complexité du problème, et l'on fait des pieds et des mains pour aboutir à un résultat concret.

Une seule chose à faire : laissez tomber ! Vous vous libérez ainsi d'un grand poids, vos pensées reprennent leur cours normal et vous conservez toute votre lucidité. Votre clairvoyance refait surface et vos idées se peaufinent.

Qui parmi nous ne s'est jamais démené comme un beau diable pour surmonter un obstacle et atteindre un objectif ? C'est souvent si laborieux qu'on en vient à douter de la marche à suivre. Aucune solution ne se présente, et l'on est tellement contrarié que l'on finit par abdiquer. Dépité, on abandonne pour se consacrer à autre chose. L'attention se détourne de ce casse-tête quand, soudain, une pensée lumineuse surgit qui, comme par magie, amène la réponse tant espérée.

Cet enchaînement n'est pas seulement le fruit du hasard. En vérité, le processus de réflexion continue même si on fait une pause, en un mot lorsque l'on est plus détendu. Bien sûr, la ténacité et l'opiniâtreté sont des qualités essentielles dans la vie professionnelle. Seulement, vous l'aurez compris : il n'est pas toujours rentable de réfléchir intensément. C'est loin d'être le cas. Pendant que l'on se distrait, l'esprit tourne toujours, mais de manière différente.

Lorsque l'on est très concentré sur un problème ardu, les pensées virevoltent, s'échauffent, fermentent. Un cerveau qui carbure sans arrêt se repasse plusieurs fois le même ensemble de données, et son champ de vision s'amoindrit au fur et à mesure. Les réflexions deviennent répétitives et banales. Voilà pourquoi l'hyperactivité cérébrale est le plus sûr moyen de se noyer dans un verre d'eau.

Le bon sens et la sagesse se trouvent perdus quelque part dans le tourbillon de l'intellect. Ces deux facultés sont enfouies dans un déluge d'activités et l'on perd de vue l'évidence. Je suis conscient que faire l'apologie du moindre effort peut sembler étrange, mais c'est pourtant nécessaire. J'espère que vous tenterez d'appliquer cette méthode, car je suis pratiquement certain qu'elle vous aidera à vous épanouir dans votre vie professionnelle.

70

Admettez que c'est votre choix

C'est parfois une stratégie difficile à accepter. Quantité de gens s'en passent volontiers, mais si vous parvenez à l'intégrer à votre philosophie, votre existence prendra rapidement une autre tournure. Vous vous sentirez plus en confiance, moins abattu, comme si vous maîtrisiez tout à fait votre destin.

Je me réfère ici à votre choix de carrière et aux ennuis qui s'y rapportent. Vous devez admettre que, malgré les complications, les obstacles, les contraintes, les longues heures de labeur, les relations conflictuelles avec vos collègues, les sacrifices, etc., vous avez délibérément opté pour tel poste plutôt que pour tel autre.

Je me vois souvent objecter que l'on travaille beaucoup aussi par obligation.

Cela semble l'évidence même. Néanmoins, si vous réfléchissez bien au problème, il vous apparaîtra clairement que c'est vous qui, en dernier ressort, en avez pris la décision. Je ne dis pas que vous portez entièrement le poids de la responsabilité de vos soucis. Je prétends que, tout bien considéré – obligations, mode de vie, contingences financières, précarité de l'emploi –, vous vous êtes volontairement engagé dans cette voie. Vous avez pesé le pour et le contre, envisagé d'autres options, imaginé les conséquences, et, après avoir délibéré en votre âme et conscience, vous avez sélectionné la solution qui vous semblait la meilleure.

Chris, publicitaire, m'a reproché cette stratégie.

— Votre postulat est totalement ridicule. Ce n'est pas moi qui ai décidé de plancher douze heures par jour sur ces campagnes idiotes ; j'y suis obligé. Si je ne trimais pas autant, je pourrais dire adieu à ma carrière.

Voyez dans quelle impasse pense se trouver cet homme ! En dépit de brillants débuts, d'un poste de responsable du budget dans une grande entreprise de publicité, une branche pleine d'avenir, il se sent pris au piège et s'estime victime de la fatalité. Il réagit comme s'il ne contrôlait pas sa trajectoire professionnelle. Le problème est que, si l'on ne se considère pas responsable de ses décisions, on se pose en martyr.

Malgré ses dénégations répétées, c'est Chris lui-même qui estimait que la campagne pour les pots de yaourt méritait douze heures par jour de boulot acharné. Tout bien pesé, notre ami préférait conserver sa place plutôt que de risquer sa carrière, se créer des soucis, rechercher un autre emploi, gagner moins d'argent, perdre le prestige attaché à sa fonction, et ainsi de suite. On ne juge pas ici du bien-fondé de ce choix, mais du fait qu'il en était maître.

Megan, une jeune mère célibataire, travaillait comme infirmière à temps plein, mais rêvait de diriger un jour un hôpital. Lorsque je l'ai rencontrée lors d'une séance de signature de livre, elle m'avoua avoir passé huit ans à se persuader qu'elle était une victime, qu'elle ne verrait jamais ses rêves se réaliser. Elle avait les qualifications pour suivre une formation prestigieuse, et des amis se déclaraient prêts à l'aider à s'occuper de sa fille. Mais elle ne bougea pas le petit doigt, car elle s'était faite à l'idée qu'elle était une mère célibataire.

Un jour que Megan se lamentait sur son sort, un ami lui dit d'arrêter de toujours reporter la faute sur les circonstances. Elle l'écouta et eut l'humilité de tenter sa chance.

Voilà comment elle décrit sa transformation :

— Le déclic s'est produit lorsque j'ai admis que c'était *moi* qui prenais les décisions. J'ai alors eu le courage de m'inscrire à des cours du soir intensifs. Quand j'y repense, je suis effrayée de voir combien mes petits problèmes de rien du tout me rongeaient. Je réalise que j'aurais pu m'enfoncer dans le rôle de mère célibataire toute ma vie.

Nous sommes nombreux à croire que nous n'avons aucune prise sur les conditions de notre existence. Prendre la responsabilité de ses choix prévient toute velléité de jouer les victimes. J'espère que vous accorderez quelques instants de réflexion à cette recommandation car je suis persuadé que, grâce à elle, vous vous sentirez moins stressé et plus libre dans votre vie professionnelle.

71

Avant de vous braquer, analysez ce qu'on vous dit

Voilà un truc pour diminuer le stress que j'ai appris il y a quelques années. Cela consiste à différer sa prise de décision, à se relaxer, à souffler et à écouter attentivement avant de réagir ou de se sentir attaqué. C'est tout. Ce bref enseignement vous aidera à ne plus vous retrancher derrière votre carapace et à ne plus montrer les crocs.

Répondre à une attaque en se défendant est un réflexe conditionné. Untel lâche une remarque et vous vous sentez visé. Un collègue se permet de vous faire une critique constructive et vous éprouvez le besoin de vanter vos mérites, la qualité de votre travail ou le bien-fondé de votre point de vue. S'ensuit alors une série d'arguments perfides ou un début de polémique, qui ne fait qu'envenimer la situation.

Supposez que votre patron jette un rapide coup d'œil sur un travail auquel vous avez consacré plusieurs nuits blanches. Vous êtes fier de votre œuvre et savourez à l'avance les commentaires élogieux de vos collègues. Hélas ! votre patron vous assène un avis désagréable. Il n'apprécie manifestement pas tous les efforts que vous avez fournis et n'est guère admiratif.

— C'est tout ce que vous avez trouvé à faire ? observe-t-il, laconiquement.

La plupart des gens sont gênés ou vexés, voire blessés dans leur amour-propre par ce type de réflexion. Ils se sentent offusqués, tentent de se protéger et défendent bec et ongles leur point de vue. La terre serait un paradis si les êtres humains mesuraient la portée de leurs paroles...

Si vous appliquez cette astuce pour modifier vos réactions, vous créerez une zone tampon entre le commentaire et votre réflexe d'autodéfense, le temps pour vous de recouvrer votre calme. La remarque qui vous est adressée est-elle justifiée ? Y a-t-il là un soupçon de vérité ? Pouvez-vous en tirer une leçon ? Ou encore, est-ce un simple mouvement d'humeur de votre interlocuteur ?

Ne vous braquez pas et écoutez attentivement ce que l'on vous dit. Si vous suivez mon conseil, vous prendrez rarement la mouche.

72

Menez toutes vos entreprises à leur terme

J e ne sais pas si les gens se rendent compte de la quantité de stress qu'occasionne la multitude de projets qu'ils laissent en suspens. Je surnomme cette source de surmenage incomparable « le syndrome du quasi fini ». Ce phénomène m'a toujours intrigué parce que rien n'est plus facile que de se pencher sur un dossier pour en venir à bout, et de s'en débarrasser à tout jamais.

J'ai fréquemment recours aux services de techniciens, que ce soit pour réparer un appareil ménager ou un ordinateur paresseux. Ces individus sont compétents, inventifs, consciencieux, habiles et motivés. Cependant, pour une raison que j'ignore, ils s'en vont toujours avant d'avoir tout à fait terminé. Il manque toujours un petit quelque chose, comme s'il leur en coûterait de parachever leur ouvrage.

Or, le sentiment d'avoir mis l'ultime touche à un travail est gratifiant en soi. Cela permet de se consacrer à une autre activité sans être constamment en train de penser à une autre, que l'on aurait dû déjà terminer.

Il y a également la fierté que l'on éprouve après avoir mené à bien une tâche. Quel bonheur que de se savoir capable de conduire à son terme une besogne qu'on s'était promis d'accomplir ! Votre entourage sait désormais qu'il peut se reposer sur vous, que vous êtes responsable et que vous ne revenez pas sur votre parole. En votre for intérieur, vous pouvez vous féliciter d'être fiable et efficace.

On comprend bien que des clients ou que des employeurs conçoivent du courroux si l'on manque à ses engagements.

Parfois, ils se sentiront trahis et clameront à qui veut l'entendre que l'on est irresponsable. Voilà pourquoi il serait plus judicieux de planifier son activité et de faire le nécessaire pour remettre son travail en temps et en heure.

Corriger ce défaut ne demande pas trop d'efforts. Analysez vos propres penchants. Si vous êtes enclin à l'à-peu-près, tentez d'y remédier et de vous astreindre à une certaine discipline. Cela n'a rien d'insurmontable.

73

Passez dix minutes par jour à ne rien faire

J e parierais que vous êtes déjà en train de penser : « Impossible ! », « Cet homme est fou », ou encore : « Quelle perte de temps ! » Si c'est le cas, permettez-moi de vous affirmer que vous faites fausse route. Je comprends parfaitement que vous puissiez être très occupé et, néanmoins, je suis persuadé que dix minutes de désœuvrement complet se révéleraient le moment le plus rentable de votre journée.

C'est précisément parce que vous avez un planning surchargé que ces quelques instants de répit seraient une véritable aubaine. Pour la plupart d'entre nous, un jour ordinaire au bureau ressemble à un parcours du combattant : dès le réveil, on saute du lit et la course démarre. On cavale et on accélère le rythme à mesure que les heures s'écoulent. On s'agite dans tous les sens, on cherche résolument à être productif et à résoudre des problèmes. Pas étonnant si, dans de telles conditions, on se noie dans un verre d'eau ! Dans l'ensemble, on est tellement pris par le temps que lorsque survient le moindre pépin, on est désemparé.

Déclarer un temps mort de dix minutes, au cours duquel on reste assis tranquillement, on se tait et l'on écoute le silence, évite de craquer au moindre accroc. On recouvre son sang-froid et l'on accède à cette partie préservée de son cerveau où se sont réfugiés votre bon sens et votre lucidité. On trie les informations engrangées depuis le matin et l'on fait le point. Le chaos qui prévaut d'ordinaire dans l'esprit s'ordonne de lui-même pendant que l'intellect se repose et que les pensées se rassemblent. Des idées surgissent que cette course éperdue enterrait vives. Après dix minutes de détente ou de sérénité, la vie reprend son cours à un rythme plus lent, loin des drames et des mésententes.

Un brillant P-DG de mes amis pratique assidûment cette méthode. Chaque jour, quelle que soit sa somme de travail, il prend quelques minutes pour se reposer. Il a saisi que plus il est occupé, plus il a besoin de faire une pause à un moment donné. À ce sujet, il m'a déclaré sous forme de boutade :

— C'est grâce à ces récréations que j'ai compris combien mes pensées pouvaient vagabonder. Dans un premier temps, c'est le capharnaüm mental, puis peu à peu je vois plus clair jusqu'à distinguer le nœud du problème. En ne faisant rien, je me libère de mon remue-méninges.

Ce sont les jours où nous travaillons d'arrache-pied, où nous galopons dans tous les sens, que nous devons mettre un frein à nos activités et penser à nous délasser. À première vue, cette théorie peut sembler contre-productive. Toutefois, l'un des plus sûrs moyens de s'assurer une vie prospère et épanouissante consiste à ne strictement rien faire pendant quelques minutes de la journée. Ça vous fera un bien fou. Allez ! posez ce livre et octroyez-vous dès à présent cette parenthèse de paix.

74

Apprenez à déléguer

Pour des raisons évidentes, apprendre à déléguer vous délestera de bien des problèmes. Lorsque l'on sollicite le concours d'autrui, que l'on est prêt à faire confiance à son entourage, on peut enfin se consacrer à des projets d'importance.

À ma grande stupeur, j'ai découvert que beaucoup de gens – y compris des personnes de grand talent – délèguent le moins possible. Peut-être pensent-ils être seuls capables d'effectuer leur travail.

Cette attitude soulève plusieurs questions graves. D'abord, personne ne peut tout faire et, à ma connaissance, nul ici-bas n'est doué d'ubiquité. Tôt ou tard, l'ampleur des responsabilités nous submerge. Nous accomplissons beaucoup, mais nous nous dispersons trop, ce qui nuit à nos performances. Apprendre à transmettre quelques-unes de vos responsabilités vous aidera à résoudre cette difficulté : vous pourrez concentrer toute votre attention sur les tâches qui vous motivent le plus. En outre, en vous réservant l'essentiel, vous ne donnez pas aux autres la possibilité de vous montrer ce dont ils sont capables.

Jennifer s'occupe des hypothèques dans une banque. Paradoxalement, elle souffrait de ce qu'elle était tout à fait polyvalente ! Elle était si sûre d'elle-même sur tous les nombreux dossiers dont elle avait la charge, qu'elle était effrayée à l'idée de devoir partager la moindre parcelle de responsabilité. Passer des coups de fil, négocier avec les organismes de prêts, discuter avec les clients, ou remplir des formulaires, rien ne lui échappait : elle monopolisait tout.

Pendant un moment, elle réussit à jouer sur tous les tableaux. Mais au fil des années, elle commença à être prise par le temps, et son refus d'être épaulée finit par lui jouer des tours. Elle commettait plus d'erreurs, se sentait freinée dans ses mouvements, avait tendance à omettre des points importants. Ses collègues se plaignaient de son arrogance et de son irascibilité.

Un beau jour, elle comprit que sa plus grande faiblesse au niveau professionnel résidait justement dans ce qu'elle tenait jusqu'alors pour sa principale qualité. Elle apprit une chose très simple : personne ne peut indéfiniment tout faire et obtenir d'excellents résultats.

Dès qu'elle commença à déléguer les dossiers qui ne réclamaient pas tant de virtuosité, elle entrevit une lumière au bout du tunnel. Les idées claires, l'esprit vif, elle apprit à utiliser judicieusement ses facultés et à améliorer la gestion de son temps.

— Je retrouve ma vraie nature, mes aspirations profondes, m'avoua-t-elle à cette époque.

Souvent, en déléguant un travail, ce n'est pas seulement vous que vous aidez mais également un collègue. Lorsque vous demandez de l'aide, partagez une responsabilité, distribuez une partie de votre autorité, vous donnez à quelqu'un une chance de faire la preuve de ses aptitudes. Dans le monde de l'édition, par exemple, l'éditeur principal peut permettre à un assistant de se charger de la publication d'un livre, même s'il s'agit d'un de ses auteurs favoris. Non seulement l'éditeur principal gagne du temps, mais il donne à son bras droit la possibilité d'affirmer son habileté, et de progresser. Les associés dans les cabinets d'avocats confient un grand nombre d'affaires à leurs stagiaires. Et il en va de même dans toutes les professions. Je connais l'objection du cynique :

— Les gens délèguent pour se débarrasser du sale boulot.

C'est juste, mais ce n'est pas un exemple à suivre. Il y a quantité de raisons de se décharger un peu.

J'ai vu des stewards qui étaient passés maîtres dans l'art de la répartition. Ils étaient capables de faire en sorte que chacun ait l'impression d'apporter sa contribution à une équipe, ce qui libérait les énergies et rendait leur travail plus agréable. En revanche, j'en ai vu d'autres qui insistaient pour faire tout eux-mêmes. Malgré une activité incessante, ils font attendre les passagers très longtemps. J'ai vu de grands chefs cuisiniers déléguer certaines corvées – faire les courses, par exemple –, non pas qu'ils estimaient que c'était indigne d'eux mais parce que cela leur permettait de consacrer plus de temps à leur passion.

Que vous travailliez dans un restaurant, un bureau, un aéroport, ou ailleurs, déléguer vous rendra la vie moins compliquée. Bien évidemment, il existe des métiers spécifiques, des postes particuliers qui se prêtent mal à la répartition des tâches. Si vous appartenez à cette catégorie, rien ne vous empêche néanmoins de la mettre en pratique chez vous. Votre conjoint ne peut-il pas vous seconder ? Vos enfants ne peuvent-ils pas accomplir certaines tâches ? Ne serait-ce pas une bonne idée que d'engager une personne chargée de nettoyer votre maison, de changer l'huile de votre voiture, ou de toute autre activité qui vous fait perdre du temps ? N'hésitez plus : vous vous accorderez ainsi des plages de temps libre.

75

Renforcez votre présence

Que l'on vende des sandwichs ou que l'on travaille chez IBM, renforcer sa présence enrichit sa vie professionnelle. Cela crée des liens particuliers avec les autres, améliore la concentration et diminue la tension nerveuse.

Un être humain doté d'une forte présence est reconnaissable au premier coup d'œil. Il jouit d'un certain charisme, et la force qui en émane lui attire la sympathie des autres, sans être pour autant extraverti.

Lorsque quelqu'un possède cette aura particulière, les gens qui l'entourent sentent d'instinct qu'il est en osmose avec eux. Son esprit ne vagabonde pas pendant qu'il discute. Au contraire, il est attentif à ce qui se passe autour de lui et il écoute ce qui se dit. Tout son intellect est tendu vers son interlocuteur.

Très souvent, nous souffrons de fatigue nerveuse parce que notre esprit est dispersé sur plusieurs problèmes à la fois. Nous accomplissons une tâche et, en même temps, nous sommes préoccupés par une douzaine d'autres. Nous sommes distraits par nos pensées, nos soucis, nos inquiétudes. Être présent réduit le stress car notre réflexion se focalise sur l'instant. Notre cerveau atteint un rendement optimal lorsqu'il est absorbé entièrement par un problème. Notre façon de travailler est plus intelligente et efficace, ce qui ne nous empêche pas d'être calmes et détendus, bien au contraire.

Nous ne nous sentons plus surmenés car nous éprouvons du plaisir à travailler. Chaque événement prend une dimension que vous ne soupçonniez pas jusque-là. Pensez à vos passe-temps favoris. Quoi de plus exaltant que d'observer la vie des animaux, tricoter ou faire de la mécanique ? Tout dépend de votre degré d'implication. Une activité aussi simple que la lecture d'un livre peut devenir le moment le plus palpitant de votre vie si vous vous perdez avec délices dans les méandres de l'intrigue.

Soyez attentif aux autres, et vous attirerez irrésistiblement vos semblables vers vous. Votre sincérité est désarmante. Respecté et entendu, vous verrez toutes vos relations s'enrichir, et une simple conversation vous remplira de joie. En revanche, si vous vous moquez de ce qui se dégage de vous, vos rapports à autrui seront banals et ennuyeux.

Il vous est sûrement déjà arrivé de croiser un homme ou une femme et de vous surprendre à penser qu'il émane de lui ou d'elle quelque chose de spécial, d'indéfinissable.

Très souvent ce « quelque chose » est sa présence.

Pour renforcer son aura, il faut être conscient de sa valeur et savoir canaliser sa réflexion. Lorsque vous côtoyez vos congénères, soyez *avec* eux. Lorsque vos pensées musardent, ramenez-les calmement vers le sujet qui vous occupe. Lorsque vous pratiquez une activité, ne pensez pas à autre chose. Essayez d'être plus attentif et appliqué. Considérez même cela comme un but à atteindre. Une fois que vous y aurez goûté, vous ne pourrez plus vous en passer.

76

Apprenez à dire non sans culpabiliser

On se met bien souvent dans des situations embarrassantes parce que l'on prend des engagements sans réfléchir, parce que l'on n'ose pas dire non. On accepte de se charger d'un travail alors qu'au fond de soi on n'en a aucune envie, et que l'on est déjà débordé.

Dire oui en permanence pose un double problème. D'abord, on se sent presque toujours surmené et épuisé. Il arrive un moment où notre disposition générale, notre esprit, notre efficacité subissent le contrecoup de cet acharnement. Notre travail en pâtit, ainsi que nos collègues et notre vie de famille. À force de répondre toujours présent, on finit par éprouver de l'amertume et par se sentir écrasé par l'immensité de la tâche à accomplir. Comme on a tendance à culpabiliser lorsque l'on oppose un refus à une requête, on ne remarque pas que l'on s'est mis tout seul dans ce pétrin en n'osant pas dire non.

Le second problème, c'est le manque de sincérité qui en découle forcément. Par exemple, vous acceptez sans barguigner d'effectuer un travail ou d'échanger momentanément votre poste avec un collègue, alors qu'en réalité vous rêviez d'un jour de vacances. Puis, du fait que vous n'avez pas eu votre journée de repos bien méritée, vous croulez sous les rendez-vous et vous maudissez intérieurement tous les individus qui vous réclament de l'aide ! Une fois encore, c'est vous qui vous êtes infligé du travail supplémentaire, même si vous croyez agir sous la contrainte de forces extérieures.

Décliner une proposition de temps à autre, ce n'est pas

égoïste, c'est vital. Si un inconnu vous demandait de lui donner l'air que vous respirez, vous le déclareriez bon pour la camisole et vous répliqueriez par la négative sans sourciller. Mais quand un collègue vous supplie de le remplacer ou d'assurer son tour de garde, vous répondez oui par habitude ou par obligation. Or, témoigner de ce bel esprit scout risque, à la longue, de vous nuire.

Évidemment, lorsqu'il y va de notre intérêt, ou que nous avons le loisir et l'envie d'aider notre prochain, il n'est pas question de se défiler. L'astuce est de faire preuve de discernement, et de ne pas réagir à brûle-pourpoint, de savoir dire oui ou non selon les circonstances. Gardez donc la tête froide avant de vous compromettre et interrogez-vous. Quels sont les sentiments et les exigences de la personne qui se tient devant vous ? Avez-vous besoin de dire oui ? N'allez-vous pas, en donnant votre accord, mettre en péril votre équilibre psychique ? Ne vaut-il pas mieux débouter cette requête ?

Commencez donc par vous soumettre à ce petit interrogatoire. En y répondant avec franchise, vous verrez plus clair, supprimerez de funestes automatismes et préserverez votre bien-être.

77

Passez vos prochaines vacances chez vous

C'est une stratégie que j'ai commencé à mettre en pratique il y a déjà quelques années. Pour être honnête, j'avouerais que j'étais assez sceptique au début : j'étais persuadé que je ne pourrais pas m'amuser ni me détendre et, ma foi, j'aurais préféré partir à la découverte d'un pays exotique. Cependant, à ma plus grande stupéfaction, ces vacances à mon domicile m'ont comblé de bonheur. La plupart des gens attendent leurs congés avec impatience. Ce sont généralement des moments formidables, bien mérités, et le plus souvent profitables. Toutefois, des vacances censées vous détendre, vous ressourcer et vous remettre d'aplomb peuvent s'avérer exténuantes. Imaginez le scénario suivant : vous avez réussi à prendre une semaine de repos, votre voyage est planifié mais il vous reste encore à accomplir toutes les corvées nécessaires avant le départ. Vous devez faire vos valises et réfléchir aux moindres détails afin de vous assurer de ne rien oublier. Vous êtes très fatigué. Vous avez la sensation que cela fait des lustres que vous n'avez pas eu un moment de répit. Or, vous voilà déjà en train de courir pour ne pas rater votre avion, ou de vous dépêcher de prendre votre voiture avant les heures de pointe. En fait, vous précipitez votre départ pour ralentir à l'arrivée. Vous souhaitez profiter au maximum de vos vacances, et vous avez prévu de rentrer à la dernière minute, c'est-à-dire quelques heures à peine avant de filer au bureau. Ce qui laisse présager un retour des plus rocambolesques, sans une seconde pour s'acclimater à la reprise de la routine.

Vous êtes tiraillé par l'envie de déguerpir au plus vite, de vous amuser, de sortir de votre train-train quotidien, et par l'envie de flâner dans votre jardin, de vous plonger dans la lecture d'un bon roman, de commencer vos exercices de yoga, de découvrir la région où vous habitez.

Malheureusement, la partie de vous-même qui souhaite débrancher le téléphone, jouer avec les enfants, nettoyer la maison, éviter la foule, lire, flâner dans un parc, planter des fleurs, a rarement la chance d'être entendue. Dans votre vie de tous les jours, vous êtes surmené et lorsque vous êtes en congé, vous ne songez qu'à vous évader loin de chez vous.

Il y a plusieurs années, Kris et moi sommes restés dans notre maison pour les vacances. Nous étions arrivés tous les deux à saturation et nous ne pouvions plus entendre parler de boulot. Nous avions décidé de ne répondre à aucun appel lié à nos activités professionnelles. Le but du jeu consistait à s'installer dans notre maison comme si nous étions en congé.

Chaque matin, une baby-sitter s'occupait des enfants pendant que nous allions courir, que nous faisions nos exercices de yoga ou que nous sortions prendre un petit déjeuner. Son concours nous permit de procéder à plusieurs projets domestiques qui nous tenaient à cœur. Nous nous occupions aussi du jardin. Nous prenions des bains de soleil en lisant des magazines. C'était divin. L'après-midi, nous jouions à cache-cache avec les petites, faisions des randonnées en forêt, allions à la piscine. Ce furent de grands moments passés en famille. Un jour, nous avons fait venir un chiropracteur pour qu'il nous enseigne la technique du massage dos à dos, et chaque soir nous dînions en tête à tête au restaurant. Nous avons loué les services d'une femme de ménage, ce qui nous évitait les corvées du linge à laver ou du repassage. Nous sommes souvent allés au cinéma et avons fait la grasse matinée tous les jours. Bref, ces quelques jours se résumèrent à neuf dimanches successifs passés dans un hôtel cinq étoiles, à un prix défiant toute concurrence !

Les enfants se sont beaucoup amusés. Nous avons enfin eu l'impression de les voir et eux de profiter de notre présence. Nous n'étions plus des courants d'air mais des êtres en chair et en os ! Je me suis rarement senti plus reposé et détendu que pendant ces vacances à la maison. Tout se déroula comme dans un rêve. Pas de retards d'avion, pas de bagages perdus, pas de décalage horaire, et pas de fatigue après un voyage avec les enfants. De plus, nous avons dépensé le quart de ce que nous aurions déboursé en prenant l'avion pour nous rendre sur un lieu touristique. En dehors de ces considérations pratiques, je peux dire que ce séjour à la maison nous a comblés au-delà de toutes nos espérances.

Mon propos n'est pas de critiquer les vacances conventionnelles. J'adore bourlinguer à l'autre bout du monde, et j'imagine que vous aussi. Mais pour la détente, pour aménager son intérieur, pour réaliser des projets près de chez soi, rien ne vaut le farniente à domicile.

En regardant mon calendrier, je m'aperçois que nous avions justement prévu dans peu de temps une de ces semaines de vacances à la maison. Je trépigne déjà à l'idée de me prélasser dans mon petit nid douillet.

78

Ne laissez pas vos collègues vous démoraliser

Rencontrer des problèmes avec certaines personnes est inévitable au travail. La mauvaise foi, le cynisme, la passivité ou l'hostilité sont hélas monnaie courante. Apprendre à coexister avec des gens aussi peu coopératifs relève du grand art, mais je vous assure que cela vaut la peine d'essayer. Voyez plutôt le prix qu'il vous en coûtera, si vous n'assimilez pas les règles de la cohabitation avec de tels phénomènes : après une phase de déprime, vous risquez d'être contaminé par leur antipathie et leur aigreur. Et Dieu sait que vous ne souhaiteriez pas leur ressembler...

Je crois que la meilleure façon d'attaquer le problème est d'élever son degré de tolérance. Vos collègues agaçants sont insatisfaits et, dans un sens, très malheureux. Leur désobligeance est involontaire. Comme vous, ils préféreraient être joyeux et mener une existence riche et passionnante.

L'enthousiasme est inhérent à la nature humaine. La carrière que l'on embrasse fournit mille et une raisons de se sentir inspiré, créatif, curieux, et exalté. Lorsqu'on éprouve un manque, c'est le symptôme que quelque chose va mal. Votre voisin manifeste continuellement du ressentiment ? Un bonheur lui fait défaut. Les tempéraments et comportements négatifs trahissent chez l'être humain une insatisfaction, un équilibre précaire.

L'inimitié, voire l'animosité, a tendance à démoraliser celui qui en est l'objet parce qu'on la prend pour une attaque personnelle et l'on éprouve de ce fait une certaine culpabilité. Mais en l'appréhendant avec commisération, on découvre que, contrairement aux apparences, cette hostilité n'est pas dirigée contre soi.

Imaginez-vous le mal-être qui pousse l'un de vos semblables à montrer les crocs en toutes circonstances. Quelle souffrance il doit endurer pour se conduire ainsi ! Ce ne peut être un choix délibéré de sa part.

D'ordinaire, lorsque deux êtres humains aux caractères opposés travaillent ensemble ou sont amenés à se voir souvent, deux scénarios sont possibles. Soit le plus acariâtre des deux prendra l'ascendant, soit le plus positif parviendra à améliorer la relation. Le meilleur moyen de rester hors d'atteinte des ondes négatives de son camarade est de conserver son enthousiasme, autrement dit d'apporter un début de solution au lieu de contribuer à envenimer le problème.

Au lieu de vous focaliser sur les difficultés que vous rencontrez face à telle ou telle personne, de tenter d'analyser les raisons de son comportement, entraînez-vous à garder votre engouement pour votre travail et pour la vie en général. Selon toute probabilité, votre entrain et votre placidité provoqueront une réaction salutaire chez votre vis-à-vis. Et quand bien même cette tactique ne porterait pas ses fruits, vous seriez néanmoins assuré de mieux supporter ses agressions.

Tirez profit d'un emploi non créatif

C'est un peu par obligation que j'inclus ici cette stratégie car, pendant trop longtemps, j'ai entendu des plaintes concernant des gagne-pain prétendument dénués d'intérêt.

En fait, déprécier son emploi ne dépend que de soi. On peut redouter de se lever chaque matin, compter les minutes, se répéter mentalement que son métier est ennuyeux, s'apitoyer sur son sort, gémir, désirer une autre destinée. Mais on peut aussi se contenter de ce que l'on a, aller de l'avant et se débrouiller pour en tirer le meilleur parti. Rien n'empêche d'avoir le sourire aux lèvres et un moral d'acier, et il ne tient qu'à soi de se passionner pour ses occupations.

— On voit bien que vous ne trimez pas à ma place, m'a déclaré quelqu'un qui croit que mes conseils ne s'appliquent pas à son cas.

Je persiste à ne pas être de son avis. En réalité, on a toujours la possibilité de tirer le meilleur profit de son travail.

Je vais vous conter une petite histoire que j'adore qui met en scène deux maçons, Al et Bill, et un journaliste. Ce dernier questionne le premier sur sa journée.

— Fichez-moi la paix ! répond Al d'un ton rageur. J'ai passé je ne sais combien d'heures sous un soleil de plomb à ramasser ces stupides briques et à les entasser les unes par-dessus les autres.

Le journaliste se tourne vers Bill et lui pose la même question.

— J'ai empilé des briques et j'ai réussi à construire une

maison, répond-il d'une voix chaleureuse. Sans des gens comme moi, il n'y aurait ni bâtiments, ni architectes, ni économie.

La morale de cette histoire, c'est qu'aucun des deux maçons n'a tort : ils ont chacun leur point de vue, qui reflète leur état d'esprit. J'ai connu des personnes qui travaillaient à un péage d'autoroute et qui m'ont affirmé que leur métier ne consistait pas à soutirer de l'argent aux automobilistes, mais à comptabiliser le nombre de conducteurs qu'elles parvenaient à faire sourire ou rire aux éclats. J'ai vu des vendeurs de pop-corn et de bonbons débonnaires et espiègles, qui réussissaient à captiver leurs clients tels des bateleurs professionnels.

Au fil du temps, je me suis aperçu que les gens qui prennent le plus de plaisir à leur travail sont ceux qui ont une approche positive de leur métier. Et leur démarche intellectuelle n'est sans doute pas étrangère à leur rapide ascension sociale. Ils sont gais, détendus et communiquent leur bonne humeur à la ronde.

Ces individus formidables, trop rares à mon goût, emploient leurs moments de liberté à l'étude, à l'apprentissage d'une langue étrangère, ou à la réflexion. Ils ne se posent jamais en victimes, consultent des spécialistes sur une question donnée, et écoutent ceux qui peuvent leur venir en aide. Ils savent apprécier l'instant présent à sa juste valeur et croquent la vie à pleines dents.

Si, en votre for intérieur, vous estimez que seules certaines voies sont intéressantes, révisez votre jugement. Lorsque vous savez tirer parti de n'importe quelle situation, tout, ou presque, a le pouvoir d'éveiller votre créativité.

80

Ne perdez jamais
votre faculté de concentration

On ne peut espérer mener une vie productive et satisfaisante à la fois sans un minimum de concentration.
Tendre toute son énergie dans un seul but est une
faculté à laquelle beaucoup aspirent et que la plupart des gens
admirent. C'est un don que j'ai toujours essayé de cultiver.
Je lui dois mes joies et mes réussites. Quant à mes ennuis,
mes échecs, et mes plus graves erreurs, ils proviennent du
fait que je n'étais pas capable de soutenir mon attention.

Au contact de votre personnalité profonde, vous éprouverez une sensation de calme et de renouvellement. Lorsque
vous êtes concentré, vous avez l'impression que vous flottez,
que vous êtes conduit vers l'objectif que vous vous étiez fixé.
Vous avez la certitude d'être sur la bonne voie, vous vous
sentez capable de lever tous les obstacles et de mener à bien
votre travail. Malgré les difficultés, vous vous sentez en
confiance, allègre, et sûr de vous. Même au cœur de la tempête, vous avez suffisamment de ressources pour conserver
votre calme. Sans fournir d'effort particulier, vous êtes envahi
par un flot de pensées organisées, rationnelles et constructives. Les désagréments habituels vous effleurent à peine.

À l'inverse, lorsque vous êtes déconcentré, donc énervé,
dispersé, et rempli d'appréhension, vous avez tendance à
paniquer et à tout voir en noir. Vous éprouvez une grande
pression, comme si vous manquiez constamment de temps.
Une sensation d'ennui ne vous quitte pas et votre agitation

cache mal votre désarroi. Vous êtes distrait, stressé, et sujet à l'étourderie. Tout finit par vous taper sur les nerfs.

Rester concentré n'est pas aussi difficile que vous le croyez. Prêtez attention au cours de vos pensées, à vos sentiments et ramenez-les peu à peu vers vous lorsque vous commencez à divaguer. Par exemple, si vous planchez sur un dossier et que votre attention se relâche : pour y remédier, vous pensez à la date imminente à laquelle vous devrez le remettre, vous imaginez les différentes critiques qui vous seront faites, vous doutez de la valeur de votre travail, etc.

Si vous prêtez attention aux sentiments qui accompagnent ces pensées, vous remarquerez probablement qu'à un moment vous devenez tendu et nerveux. C'est à cet instant précis que vous perdez votre concentration et que vous laissez place au chaos, source d'angoisse et de stress.

C'est là que tout se joue. Vous êtes à deux doigts de flancher. À raison d'une bonne dose de vigilance et de volonté, vous remettrez de l'ordre, retrouverez vos repères et vous rapprocherez de l'essence de votre être.

Ainsi, vous accéderez à la sagesse dont vous avez besoin pour mettre toutes les chances de votre côté et pour atteindre les objectifs que vous vous êtes fixés. Cela dit, le fait que vous ne deveniez pas hystérique ne garantit pas la qualité de votre travail. Toutefois, c'est en restant concentré et vigilant que vous ferez du bon boulot en un minimum de temps.

Je vous encourage à explorer cette stratégie, à l'appliquer au quotidien, et à en recueillir les fruits savoureux.

Pardonnez-vous, vous êtes humain

J'aime citer l'adage suivant : l'erreur est humaine et le pardon divin. Avouons-le sans ambages : nous sommes des êtres humains, donc faillibles et susceptibles de nous tromper. On se fourvoie malgré des intentions louables, on entreprend un projet voué à l'échec, on perd de vue un objectif, on oublie des rendez-vous, on s'énerve, on lance des jurons que l'on regrette ensuite, etc. Je n'ai jamais compris pourquoi cette propension à nous méprendre surprenait ou décevait un si grand nombre de mes semblables.

Je déplore le manque d'indulgence, surtout quand il est dirigé contre soi. On ne cesse de se remémorer ses fautes et l'on se sait pertinemment exposé à une rechute. Très critique envers soi, impitoyable dans son jugement, on passe son temps à se frapper la poitrine. On se persécute, on se tance à coups de bâton, et l'on agit comme si l'on était son pire ennemi.

Il me semble que manifester une trop grande sévérité envers soi-même est ridicule et absurde. Chacun ne vient pas au monde avec, accroché au nombril, un manuel du parfait citoyen de la terre. Nous nous efforçons tous de faire de notre mieux, au jour le jour. Mais qui peut se vanter d'être parfait ? C'est en tombant que l'on apprend à marcher, n'est-ce pas ?

Je suis persuadé que l'une des raisons pour lesquelles je connais le bonheur est que je m'absous de mes maladresses passées et à venir. Récemment, une femme m'a demandé comment j'avais appris à m'accorder autant de bienveillance.

— Avec toutes les erreurs que j'ai faites, j'ai plusieurs années de pratique, lui ai-je répondu.

Elle s'est esclaffée, mais blague à part, c'est tout à fait vrai ! Ce qui ne m'empêche pas d'agir du mieux que je peux. Mon éthique de travail ainsi que mes critères d'excellence sont aussi élevés que ceux de la majorité des gens. Aussi mon indulgence envers moi-même n'a-t-elle rien à voir avec une quelconque apathie ou absence de principes. Je me contente d'être réaliste. Comme beaucoup de monde, j'ai un grand nombre de responsabilités. Pour tout dire, j'ai parfois l'impression de devoir jongler avec vingt balles en même temps. Et donc, affirmer que je ne commettrai plus aucun impair serait grotesque.

Envisagez dès à présent vos erreurs hypothétiques avec plus de lucidité. N'avez-vous pas tout à coup l'impression de vous décharger d'un grand poids ? Si, pour une raison quelconque, vous n'atteignez pas les objectifs que vous vous êtes fixés, cette philosophie pragmatique vous permettra, au lieu de vous châtier, de garder votre sang-froid et votre sens de l'humour. Rien de tel pour parvenir à relativiser.

Jack est courtier pour un grand établissement financier. Un client âgé d'une cinquantaine d'années lui demanda d'investir ses économies dans certaines actions pour se constituer un pécule appréciable quand sonnerait l'heure de sa retraite. D'un naturel conservateur, Jack démontra à son client qu'il serait plus intéressant de placer cet argent autrement.

Le conseil de Jack coûta une fortune à M. Jones. Le pire, c'est qu'il avait donné la même recommandation à quantité de personnes. Consterné par l'ampleur du désastre, notre courtier perdit confiance et envisagea de changer de métier. Ses amis, ses collègues, et même certains clients, essayèrent de le convaincre qu'à l'époque ses analyses étaient fondées, et qu'il avait tout lieu d'en être fier. Mais Jack se reprochait sans arrêt sa méprise et, quand quelqu'un s'entête dans cette voie, il est difficile de le raisonner.

Heureusement, Jack consulta un bon psychologue qui lui enseigna quelques évidences, notamment que tout est toujours plus clair après coup et que personne ne détient de boule de cristal. Finalement, il parvint à se trouver des excuses, et reprit l'activité qu'il aimait tant.

Évidemment, il y a des négligences lourdes de conséquences. Une erreur d'aiguillage dans le contrôle du trafic aérien ou un faux mouvement au cours d'une opération chirurgicale peuvent être fatals. Cependant, la plupart des erreurs que nous commettons ne relèvent pas de questions de vie ou de mort, ce sont de simples broutilles que nous montons en épingle. Il est vrai que même de petites fautes peuvent causer des désagréments, des conflits, du travail supplémentaire et – comme dans l'exemple précédent – revenir cher, mais faut-il s'en étonner ? L'existence n'est pas un jeu d'enfant dépourvu d'embûches.

Même si on n'aime guère se tromper, accepter le fait que nul n'est infaillible est salvateur. Grâce à cette philosophie de la vie, nous pouvons nous pardonner, et ainsi évacuer tout le stress que nous accumulons en nous accablant de tous les maux. Aussi ma suggestion sera-t-elle limpide : ne vous torturez pas, vous êtes un être humain.

82

Mettez votre esprit au point mort

En apprenant à méditer, j'ai remarqué que ma vie paraissait se dérouler au ralenti. Tout en conservant le même nombre de tâches à réaliser, les mêmes responsabilités à assumer et les mêmes ennuis à régler, j'avais l'impression de disposer de tout mon temps, ce qui rendait ma vie professionnelle plus agréable et stimulante. J'étais toujours plongé dans le même tohu-bohu mais j'en ressentais moins les effets.

Même si tout le monde ne peut pas se livrer à la méditation, il existe un substitut rationnel qui peut s'avérer d'un secours extraordinaire pour quiconque aspire au calme, à la sérénité. Il suffit d'apprendre à mettre son esprit au point mort. Autrement dit, contrairement à certaines formes de méditation traditionnelles où, assis, vous fermez les yeux en vous concentrant sur votre respiration, le recueillement actif a l'avantage de pouvoir s'adapter à votre vie quotidienne. En vérité, vous vous êtes sans doute déjà engagé dans cette voie mais comme les effets étaient négligeables, vous n'y avez pas accordé beaucoup d'importance. Et vous n'avez donc jamais utilisé son pouvoir.

Mettre votre esprit au point mort signifie le libérer de toutes pensées dirigées. Au lieu de réfléchir intensément, votre intellect se sent reposé, dans un état plus ou moins passif. Lorsque vous ne songez à rien de particulier, vous pensez sans faire d'efforts, tout en étant totalement conscient de ce qui se passe sur le moment. De grands professeurs, par exemple, ou des conférenciers, vivent ces états de relâchement de la pensée comme des instants rares où ils ont la sensation d'être à l'écoute de leur être.

Je n'écris jamais aussi bien que lorsque mon esprit est au point mort, lorsque je ne cherche pas à trouver l'inspiration. C'est comme si les concepts suivaient la progression de la plume sur le papier. Au lieu de retourner mes raisonnements dans tous les sens, ils me traversent l'esprit. Sans doute avez-vous déjà remarqué que lorsque vous vous souvenez d'un numéro de téléphone important, du nom d'une personne, des chiffres d'une combinaison ou lorsque jaillit en vous une idée apte à résoudre un problème, ou que vous vous rappelez l'endroit où vous avez déposé vos clés, c'est généralement parce que vous ne pensiez à rien de particulier. La mémoire vous revient soudain sans que vous l'ayez sollicitée.

La raison pour laquelle la plupart des gens n'emploient pas cette méditation active, c'est qu'ils en ignorent l'efficacité, ou ne la considèrent pas, à tort, comme une manière de réfléchir. Ne la jugeant pas comme un atout, ils l'utilisent rarement et la méprisent presque toujours. Pourtant, ses vertus ne manquent pas. Lorsque votre intellect est au point mort, les pensées surgissent en vous sans crier gare. Votre esprit n'est plus sous tension, il s'ouvre à des idées neuves.

Bien sûr, il y a des moments mal choisis ou incompatibles avec l'état psychique que je décris. Si votre travail demande une attention soutenue, si vous devez intégrer des données, il est préférable de penser de manière traditionnelle, analytique. Vous serez quand même étonné par la portée et les applications de ce type de méditation dans votre vie quotidienne. Chaque fois que vous vous sentez débordé ou dépensez beaucoup d'énergie à examiner un problème sous tous les angles, faites une pause et recueillez-vous. La méditation active est un excellent moyen pour réduire le stress, se détendre et stimuler sa créativité.

Mettre son esprit au point mort est étonnamment facile. Cherchez simplement à penser de la manière le plus neutre possible. En accédant à ce nouvel état d'esprit, le reste s'ensuivra. J'espère que vous parviendrez à expérimenter ce retrait intérieur et à canaliser votre flux cognitif. Vous atteindrez bientôt une sérénité que vous ne soupçonniez pas.

83

Émerveillez-vous :
les choses ne vont pas si mal !

À en croire les conversations de nos contemporains, rien ne va plus ! La plupart des discussions tournent autour des ennuis du jour, des maux de la société, des revers et des infortunes, des injustices, et des difficultés rencontrées au bureau. On dirait bien que, comme au journal télévisé, on ne s'intéresse guère aux trains qui arrivent à l'heure. Beaucoup de gens discutent des problèmes qu'ils ont avec leurs collègues, leurs abonnés, leurs clients, leurs actionnaires, et les autres en général. Les critiques n'épargnent rien ni personne.

Mais ne vous êtes-vous jamais émerveillé devant la quantité de choses qui fonctionnent ? C'est fou ! Des milliers de faits apportent une contradiction flagrante à cette propension générale au pessimisme. Prenez par exemple les télécommunications, la sécurité des transports, la qualité de la nourriture, la technologie, les toits qui ne fuient pas, la compétence de vos collègues, la fiabilité des prévisions météorologiques ou financières, sans compter le fait que la plupart des gens sont sympathiques.

Pour quelque raison mystérieuse, nous préférons nous focaliser sur les rares exceptions. Peut-être croyons-nous que, en insistant sur les points négatifs, il y a des chances de les améliorer. A contrario, de nombreuses personnes sont effrayées à l'idée de devoir tolérer les imperfections, pensant sans doute ouvrir la boîte de Pandore.

Je voyage fréquemment et j'entends beaucoup de reproches dirigés contre les compagnies aériennes. Moi aussi, j'ai dû faire l'expérience peu agréable des retards et des vols annulés, des bagages perdus, du surbooking, des places mal attribuées, et j'en passe. Néanmoins, la proportion de fois où j'arrive à destination en temps et en heure est prodigieuse. Étant donné le trafic qui augmente, les horaires à respecter, les conditions climatiques, les problèmes technologiques, c'est tout à fait remarquable. Je peux, par exemple, me réveiller le matin en Caroline du Nord et savoir qu'avant le dîner j'arpenterai sain et sauf, ma valise à la main, les rues de New York. Et je suppose que les hommes d'affaires qui prennent l'avion régulièrement ont autant de chance que moi.

Pourtant, avez-vous déjà entendu quelqu'un complimenter les compagnies aériennes ? Si oui, il s'agit à n'en point douter de la perle rare. Lorsque nous sommes victimes d'un retard, nous avons plutôt tendance à nous mettre en colère, à penser que cela tombe toujours sur nous, au lieu de nous dire que chacun fait de son mieux, et que ce genre d'incident est inévitable. Ce manque de lucidité affecte de nombreux secteurs de la vie professionnelle. Il y a en proportion beaucoup plus de personnes amicales, serviables et courtoises que d'individus aigris, médisants et grossiers. Mais vous entendez presque toujours parler de cette infime minorité. Sur les dix tâches qu'on doit accomplir dans une journée, l'on ne parlera au dîner, et jusqu'à une heure avancée de la nuit, que de celle qui aura posé problème.

Nous devrions examiner nos mésaventures, nos déboires, nos embêtements sous un autre angle. On dirait que nous sommes tellement habitués à ce que les choses se déroulent normalement que nous sommes en droit d'exiger la perfection. Et lorsque nous ne l'obtenons pas, nous sortons de nos gonds.

Je pense qu'il est sage de conserver son sang-froid. En me souvenant de toutes les choses qui fonctionnent bien, je suis plus apte à affronter celles qui tournent mal. Si des complications inattendues surgissent, si des gens commettent des erreurs, si la nature reprend parfois ses droits, et si tout ne va pas toujours comme sur des roulettes, qu'y a-t-il là de si étonnant ? Lorsque je considère le nombre incalculable de faits qui surviennent sans que l'on déplore d'incident, je suis émerveillé et j'ai tendance à tout relativiser. Faites-en autant.

84

Faites la paix avec le chaos

Voici deux phrases qui m'ont toujours aidé à garder le cap et à appréhender le monde sereinement. Dans les périodes de stress et de grande confusion, elles m'ont apporté un grand réconfort : « Le chaos est la loi de la nature. L'ordre est la chimère de l'homme. »

Le chaos est, en effet, la loi de la nature. C'est vrai quelle que soit la direction dans laquelle vous regardez. Les gens vont et viennent, les modes se succèdent, les conflits d'intérêts et d'ambitions s'étalent au grand jour, et le changement est une donnée constante. Les téléphones sonnent, on croule sous les demandes et des piles de papier s'entassent sur les bureaux. Même si vous essayez d'être impartial, telle personne vous prendra pour un héros et telle autre vous vouera une haine terrible. Un projet se développe jusqu'à son terme, le suivant avorte à un stade précoce. Une femme qui obtient une promotion est radieuse, sa collègue licenciée se vautre dans l'abattement. Au moment où vous pensiez pouvoir réaliser un désir, vous attrapez froid et tombez malade !

Malgré l'anarchie ambiante, les êtres humains souhaitent secrètement pouvoir compter sur un certain degré d'organisation. Nous aimerions arrêter le cours du temps, connaître notre avenir, et conserver le même équilibre. Mais personne ne peut donner du sens au désordre du monde parce que c'est justement la forme sous laquelle il se présente. Et vous aurez beau vous démener, le trouble vous suivra partout.

Cependant, quelque chose de magique vous gagne lorsque vous vous abandonnez au chaos, lorsque vous faites la paix avec lui. En tempérant votre désir de contrôler ce qui vous entoure ou de prédire certains événements, vous êtes capable de travailler dans un milieu désorganisé sans pour autant en être affecté. C'est le signe que vous commencez à appréhender le désordre avec sérénité, sens de l'humour et sang-froid.

L'astuce consiste à s'adapter au chaos plutôt que de le combattre. Nous devons nous réconcilier avec l'idée que le chaos, comme la gravité, est une loi de la nature. Accepter les choses telles qu'elles sont permet d'envisager sous un angle différent les bouleversements de l'existence. Au lieu d'être pris au dépourvu et contrarié par un événement inattendu aux conséquences fâcheuses, vous avez suffisamment de recul pour y voir le signe de la fatalité. Vous réagirez, résisterez, mais sans vous lancer à fond dans une bataille perdue d'avance.

Allison travaille toutes les nuits aux urgences dans un hôpital. Je lui ai demandé ce que le désordre signifiait pour elle.

— Il arrive que chaque minute soit un cauchemar. Tellement de gens souffrent autour de moi. Un homme qui a reçu une balle de revolver se retrouve allongé à côté d'un autre grièvement blessé dans un accident de la route. C'est la panique, la pagaille, la tristesse et les larmes. Qui êtes-vous censé secourir en premier quand tout le monde vous réclame et demande votre aide ? Nous avons des règles à suivre, bien sûr, mais elles ne s'appliquent pas à tous les cas et ne sont pas toujours très justes. J'ai rarement le temps de souffler. Mais, malgré la confusion, j'ai appris à garder mon sang-froid. De toute façon, il le faut bien, sinon je deviendrais folle ou, plus grave encore, les patients en pâtiraient.

À un moindre degré, comme Allison, j'ai admis que le chaos était un élément inhérent à la vie. Ce n'est pas pour autant que je l'aime, je fais d'ailleurs tout pour l'éviter ou le réduire. Cela dit, en le tolérant, j'ai fait la paix avec lui.

Les résultats ont été surprenants. Ma vie quotidienne est toujours autant soumise à des aléas et des désagréments : courrier égaré, mauvais calculs, engagements non tenus, dates limites imminentes, désaccords, etc. Ce qui a changé cependant, c'est la façon dont ils m'affectent, ou plus précisément la façon dont ils ne m'affectent pas. Toutes les choses qui avaient le don de m'énerver sont maintenant perçues comme faisant partie du chaos. J'ai trouvé qu'il y avait suffi-samment de défis à relever dans la vie pour aussi avoir à se battre et lutter contre des choses qui ne peuvent pas être maîtrisées ni évitées. Tentez une approche positive du chaos et acceptez ses contrecoups. C'est utile et efficace.

85

Prémunissez-vous contre le surmenage

Le surmenage est un problème grave et douloureux qui affecte des millions de personnes et se manifeste par un dégoût du travail et une envie dévorante de connaître enfin les joies de l'existence. Il n'existe pas de vaccin contre ce mal. Sachez cependant que l'on peut faire pencher la balance en sa faveur et ériger autour de soi une barrière protectrice.

Équilibre et épanouissement sont les deux mots clés. Les individus qui ne souffrent pas de cette maladie professionnelle bien connue ont su s'assurer une bonne hygiène de vie et cherchent, par tous les moyens, à s'enrichir sur le plan personnel, intellectuel et spirituel. En d'autres termes, cela signifie que, tandis qu'ils bossent dur, briguent l'excellence et poursuivent des objectifs de poids, ils n'ont pas d'œillères : ils s'intéressent au monde extérieur, se consacrent à leur famille ou à leurs amis, font du sport, et s'efforcent de contribuer au bien-être général. Ils sont épris de culture et d'art, s'inscrivent à des ateliers ou à des cours de langues étrangères et sont soucieux d'améliorer leurs points faibles. Curieux de tout, ils apprécient qu'on les prenne pour confidents.

Leur parti pris résolument positif, leur capacité délibérée de s'octroyer des loisirs, leur disponibilité pour tout ce qui ne participe pas de la sphère du travail nourrissent leur esprit et les comblent de satisfaction. En un sens, c'est d'une logique imparable : la plénitude et le bonheur qu'ils éprouvent débordent du cadre privé pour embellir leur vie professionnelle.

Lorsqu'on se dévoue corps et âme à un boulot, si captivant

soit-il, on n'échappera pas aux troubles qui résultent d'un excès d'activité intellectuelle ou physique. Tout entier tendu dans un seul but, on stagne, on devient prévisible, ennuyeux, soporifique. Réfléchissez : aimeriez-vous manger le même plat jour après jour, année après année ? Même s'il s'agissait de votre mets favori, vous finiriez par en avoir la nausée. Et que diriez-vous d'un seul épisode de votre feuilleton préféré diffusé en boucle ? Rasoir !

Après quinze ans de bons et loyaux services au sein d'une même entreprise, Andrew connut une crise de surmenage. Il n'avait pas de vie en dehors du bureau : il ne pratiquait pas de sport, avait un cercle d'amis restreint (et très peu de temps pour les voir), n'avait ni animaux de compagnie ni loisirs d'aucune sorte. Dépourvu d'activités « extra-professionnel-les », il supposa que son mal-être était dû exclusivement à son travail. Il savait que démissionner serait un crève-cœur, mais au bout du compte, il quitta son job.

Il ne pouvait pas s'offrir le luxe de rester inactif bien long-temps et se mit en quête d'un nouveau poste un mois plus tard. Pendant ces quelques semaines d'oisiveté forcée, il s'es-saya à de nouvelles activités pour la première fois de son existence et se découvrit de véritables passions. Il lut beau-coup, fit des randonnées pédestres et s'inscrivit même à un cours de yoga. Il y prit un plaisir immense et se lia d'amitié avec une foule de gens. Son enthousiasme retrouvé, il vit s'envoler son surmenage, son horizon s'élargir.

Ainsi requinqué, Andrew décida d'appeler son ancien patron et lui expliqua son cheminement. Par bonheur, sa place était restée vacante et il put réintégrer l'entreprise. C'est là qu'il comprit que la nature de son job n'était pas en cause et que seule sa vie privée avait manqué jusqu'alors d'équilibre et d'expériences gratifiantes. Il se promit de continuer à s'adonner à ses nouveaux passe-temps.

Cette stratégie suscite souvent des réactions péremptoires chez des personnes qui croulent sous les responsabilités. Elles prétendent n'avoir pas le temps de vivre. Leur état d'es-prit réducteur ne leur fait voir la vie qu'au travers de leur carrière. Sachez que si vous ne prenez pas le temps de vivre, vous jouez avec le feu. Faites les bons choix, misez sur l'avenir et octroyez-vous assez de liberté pour respirer, profiter de ceux qui vous sont chers, et vous régénérer.

Vous êtes un incorrigible bourreau de travail ? Vous êtes contraint de donner un coup de collier à certaines périodes de l'année ou de faire des heures supplémentaires par nécessité ? Contentez-vous alors de considérer l'équilibre comme un idéal à atteindre. Et, dans un second temps, alliez les actes à cette louable intention et prenez-vous en main.

Faites le point sur vos priorités sans rapport avec votre métier. Quelle est celle que vous placeriez en tête de liste ? Faire du bénévolat, apprendre la méditation ? Développer votre spiritualité ? Fixer des rendez-vous réguliers à votre conjoint, vos enfants, vos amis ? Vous dépenser physiquement ? Vous mettre au vert ? À présent, consultez votre agenda et tentez de glisser, entre deux engagements professionnels, ces activités qui vous tiennent à cœur. C'est déjà un début.

Je me rappelle quand je me mis à faire régulièrement du jogging. Je n'avais pas d'autre choix que de courir à une heure très matinale, bien avant le lever du soleil. Certains clubs de remise en forme et quelques salles de sport sont ouverts vingt-quatre heures sur vingt-quatre. Quand on veut, on peut. Peut-être pourrez-vous collaborer à une œuvre de bienfaisance pendant vos week-ends ou réserver trente minutes par jour pour vous détendre dans votre baignoire ou lire un bon roman.

La plupart des gens font une pause pour déjeuner. Pourquoi ne pas l'employer à vous vider l'esprit devant un feuilleton à l'eau de rose ou au calme, pour méditer. C'est votre choix. Une année de travail, à raison de cinq jours ouvrés, vous fournit au total deux cent soixante pauses déjeuner. Dans ce laps de temps, vous aurez eu le temps d'apprendre les rudiments d'une langue étrangère, de développer vos muscles, de connaître la plupart des techniques de yoga, etc.

Je le disais tout à l'heure, équilibre et épanouissement sont les mots clés de cette stratégie. Tous les moyens sont bons pour vous y conduire.

86

Vivez une transformation magique

Vous souhaitez sortir de votre train-train quotidien ou prendre un nouveau départ ? Voici une stratégie qui peut vous aider. Une transformation magique s'apparente à une renaissance. On substitue à de vieux réflexes et à des automatismes éculés une approche résolument positive. Le changement survient alors sans prévenir, quand on s'y attend le moins. C'est un peu comme apprendre à faire du vélo. On passe de l'ignorance à l'adresse en moins de temps qu'il n'en faut pour le dire.

Ces bouleversements enchanteurs se manifestent de diverses manières et résultent parfois des cartes que vous tenez en main. Comment se produisent-ils ? Eh bien, il suffit parfois de se débarrasser d'une sale manie, d'une dépendance nocive, de reconnaître ses défauts et d'entreprendre de se corriger.

Le plus sûr moyen d'éprouver une amélioration est de passer en revue mentalement celles de ses habitudes qu'on aimerait voir disparaître. Si vous buvez trop, par exemple, vous avez sans doute envie de modérer vos bacchanales. Peut-être, si vous n'êtes jamais à l'heure, aimeriez-vous gagner du temps. Vous souhaitez redoubler de patience ou de bienveillance envers vos proches.

Un de mes amis avait la fâcheuse habitude de tout critiquer. Un jour, la médiocrité de son attitude le frappa. On aurait dit qu'il accédait subitement à un niveau supérieur de compréhension. Il faut savoir que ces métamorphoses ne surviennent qu'à partir du moment où on les souhaite.

Ces transformations positives sont des évolutions vitales, non seulement parce qu'elles renouvellent notre univers, mais aussi parce qu'elles renforcent notre résistance, notre aptitude à rebondir et à créer. Et le miracle ne s'arrête pas le jour où il se produit. À partir de ce moment, chaque fois qu'une personne en aura bénéficié, elle se remémorera sa faculté de changer en cas de coup dur.

J'ai connu un grand nombre de ces changements durant ma vie, et j'espère en connaître beaucoup d'autres. L'un d'eux m'a particulièrement marqué.

Avant, la moindre critique me mettait les nerfs à vif. Lorsque quelqu'un me faisait une remarque ou me remettait en cause d'une manière ou d'une autre, je me sentais attaqué. Je réagissais vivement et me braquais sans arrêt. Il y a une quinzaine d'années environ, la magie opéra sur moi. Alors que j'étais debout dans ma cuisine, quelqu'un m'adressa une violente réprimande. Ma première réaction fut de bander mes muscles et de me défendre. Mes pensées se mirent à tournoyer et à bouillonner, comme cela m'était déjà souvent arrivé. Mais par extraordinaire, j'ai compris ce jour-là ma part de responsabilité dans ma proverbiale susceptibilité. Autrement dit, sans mon consentement inconscient, la critique n'avait aucune chance de m'atteindre ! Je pensais alors aux chèques qui n'ont aucune valeur tant qu'on ne les a pas signés. De même, pour être atteint par les propos qui m'étaient adressés, je devais mordre à l'hameçon.

Pour la première fois de ma vie, j'étais capable de faire abstraction d'une remarque sans me sentir blessé et sans chercher à riposter ou à me venger. Je ne feignais plus l'indifférence : j'étais bel et bien immunisé. Le coup n'avait pas fait mouche, et ce, grâce à ma décision de ne pas m'y laisser prendre. Je venais d'éprouver ma première transformation magique, et, depuis ce jour, j'ai rarement été froissé par une observation peu amène.

Une fois que vous aurez pris conscience de la réalité de ces mutations, vous guetterez leur apparition. Adieu les contrariétés : vous saurez que vous avez au fond de vous le pouvoir de tout vaincre, y compris vos propres travers.

Savoir que rien n'est immuable et que les soucis peuvent fondre comme neige au soleil désamorce les conflits et donne accès aux solutions. J'espère qu'en vous ouvrant à cette possibilité, vous bénéficierez à votre tour d'une métamorphose magique.

87

Évitez les raisonnements en « si »

ela fait vingt ans que je m'intéresse à cette idée. J'ai toujours été frappé par le nombre de gens qui conjuguent la vie au conditionnel. Quelle source inutile de stress et de désagréments ! Lorsque je me suis défait de ce tic de langage, je me suis senti beaucoup moins tendu qu'avant. J'ai aussi remarqué que tout ce qui était lié à ma vie professionnelle m'apparaissait sous un jour meilleur. Je suis devenu également plus productif.

Cette tendance, fort commune, consiste à nous convaincre que « si seulement » certaines conditions étaient remplies, nous serions alors heureux (ou comblés, ou moins tendus, plus en paix avec nous-mêmes, etc.). On croit qu'avec du changement, des innovations, des améliorations, l'existence serait plus belle. Voici quelques exemples criants : « Si l'on m'avait écouté, comme tout irait mieux », « Si seulement je partais bientôt en vacances, je pourrais me détendre », « Si seulement j'arrivais à travailler plus rapidement, j'aurais le temps de m'occuper de mes enfants », « Si seulement j'avais une maison plus grande, je serais cent fois plus heureux ». Et ainsi de suite.

Afin de mettre le doigt sur la faille de ce raisonnement, pensez aux occasions où vous avez fini par obtenir ce que vous souhaitiez, sans vous estimer comblé pour autant. On s'imagine que l'acquisition d'une voiture rend heureux, mais deux jours après l'avoir achetée, l'excitation retombe déjà. On se dit qu'un nouvel amour tomberait à point nommé, mais, passé les feux de la passion, on se dispute quand même avec son partenaire. On gagne bien sa vie et, au lieu de s'en féliciter, l'appât du gain incite à engranger davantage d'argent.

Souhaiter être ailleurs, faire autre chose ou espérer modifier le cours de l'histoire est contraire à la raison et, par-dessus le marché, très insatisfaisant. Cela revient à se dire que l'on va mettre son bonheur en attente, qu'on sera heureux plus tard, une fois que les conditions requises seront remplies. Combien de fois oublie-t-on d'apprécier la vie telle qu'elle est parce que l'on est trop occupé à rêver à un idéal ? Comment garder sa flamme intacte tout en étant obnubilé par un futur hypothétique ?

Je sais bien qu'il est louable de se fixer des objectifs ou d'élaborer des projets, de s'efforcer de les atteindre ou de les réaliser. Je m'attaque ici à cette propension à dénigrer sa condition actuelle au profit de chimères.

Que vous soyez patron, salarié, ou indépendant, n'oubliez pas de profiter de la vie et d'en savourer chaque instant. Ne perdez pas de vue que le bonheur est un voyage et pas une simple destination.

Mon père aimait à me dire :

— Si tu commences en bas de l'échelle, profites-en autant que possible. C'est le meilleur moyen d'en gravir rapidement les échelons.

Ces sages paroles signifient que si l'on fait de son mieux, que l'on s'investit à fond dans son travail, les retombées ne peuvent être que bénéfiques.

Mon conseil est simple. Allez jusqu'au bout de vos rêves, mais n'oubliez jamais que le secret du bonheur ne réside pas dans votre imaginaire. Avant d'accéder à votre vœu le plus cher, vivez intensément chaque instant de votre odyssée.

88

N'ayez plus peur de rien

L es lecteurs assidus de mes ouvrages le savent sans doute : beaucoup de gens détruisent leur vie à cause des soucis qu'ils se créent. La lutte contre la peur et l'inquiétude qui nous rongent est, pour cette raison, devenue mon cheval de bataille.

L'appréhension provoque une grande tension nerveuse. Sujet au stress, on se vide de toute son énergie. On a tendance à se focaliser sur des problèmes particuliers et à ne considérer que les vicissitudes. Un rien nous énerve et tout nous ennuie. Voilà les conditions idéales pour se noyer dans un verre d'eau.

Lorsqu'on est soucieux, on a du mal à se concentrer et à rassembler ses idées. L'esprit vagabonde. On prévoit des complications improbables, on repasse mentalement en revue ses erreurs afin de justifier ses tracas actuels.

Par exemple, la date approche où votre employeur vérifiera les comptes de votre gestion. Et plutôt que de peaufiner votre rapport, vous passez une semaine à vous tourmenter : vous vous rappelez les scènes et les dialogues du contrôle précédent. Votre humeur se dégrade et vos pensées se dispersent.

Au lieu d'être aussi productif et efficace que d'habitude, vous travaillez moins bien et perdez confiance et votre patron ne manquera pas de noter votre manque de rigueur et votre émoi. C'est le début d'un cercle vicieux qui a pour point de départ votre anxiété.

L'inquiétude n'est pas seulement préjudiciable à votre équilibre, elle est également contagieuse. Lorsque vous angoissez, vous exhalez des ondes négatives et un sentiment de peur. Vos collègues observent une attitude prudente, s'imaginent le pire, et frôlent parfois la paranoïa. Lorsque les gens sont troublés, ils ont tendance à se montrer narcissiques et égoïstes, et cherchent à se prémunir contre toute atteinte éventuelle.

Ellen est fleuriste. Elle m'avoua qu'à une période, elle ne pouvait pas s'empêcher de se ronger les sangs, surtout lorsqu'elle croulait sous les demandes. Elle me confia comment elle en vint à vouloir changer.

Elle préparait avec trois assistantes des assortiments floraux qui devaient agrémenter un repas de noces. C'était un de ses plus gros contrats, et elle était encore plus agitée que d'habitude. Elle avait peur d'avoir mal noté la commande et était persuadée de ne jamais pouvoir finir à temps. Elle craignait qu'un incident ne vînt perturber ses plans. En proie à la plus grande confusion, elle s'aperçut soudain que tout le monde était en train de commettre des erreurs : l'une renversait un vase, l'autre coupait les fleurs de travers, et la troisième cassait un pot.

— Le spectacle était si affligeant que je me suis mise à éclater de rire, me dit Ellen.

Manifestement, sa nervosité et son anxiété avaient contaminé son équipe, et tout allait à vau-l'eau. Ellen invita les jeunes femmes à prendre une pause-café, au cours de laquelle chacune recouvra ses esprits. Le travail reprit ensuite, dans la sérénité et la bonne humeur.

Désamorcez votre peur : vous développerez une nouvelle forme de confiance. Vous vous jugerez à la hauteur de vos ambitions, et de funestes prévisions n'entameront pas votre moral.

Les problèmes que pose le fait de parler en public sont une illustration parfaite de ce mécanisme. Vous pouvez passer des heures à redouter cet instant, à vous dire que vous serez pris d'un trac insurmontable. Vous anticipez le pire et rejouez mille fois les mêmes scénarios catastrophes dans votre tête. Vos expériences malheureuses ne font qu'accroître votre angoisse. Bouche sèche, cœur qui bat à tout rompre, gorge nouée : la paralysie vous gagne, la panique vous étreint.

Cela dit, beaucoup d'orateurs vous certifieront, moi le premier, que se sortir de l'exercice avec les honneurs n'empêche en rien d'appréhender ce moment. Ne vous bercez pas d'illusions. Ce n'est que le jour où vous vous lancerez sans a priori que vous vous débarrasserez de toute frayeur. Vous donnerez alors l'impression de maîtriser votre sujet et vous serez réceptif aux interrogations du groupe. Lorsque je vous conseille de faire fi de toutes vos réticences, je ne me fais pas l'avocat de la plus complète désinvolture ou de l'imprudence caractérisée. Je cherche surtout à vous expliquer qu'à ne plus donner prise à des terreurs sans fondement, on gagne sur tous les tableaux. Si vous y parvenez, la vie vous paraîtra plus simple et moins stressante.

89

Demandez ce que vous souhaitez
sans trop insister

U n vieux dicton dit : « On n'obtient rien sans le demander. » Dans une certaine mesure, c'est assez juste. Si
votre patron ne sait pas que vous souhaitez une augmentation, vous ne pouvez pas lui reprocher de ne pas vous
l'accorder.

L'attitude qui consiste à ne pas hésiter à poser une question
ne comporte qu'un seul défaut : on n'est jamais assuré d'obtenir une réponse, et encore moins celle qu'on voudrait
entendre.

Mais prévenir toute contrariété reste dans le domaine du
possible. Il suffit pour cela d'accepter qu'on n'est pas gagnant
à tous les coups. S'interroger, ou interroger les autres, est en
soi une belle preuve de curiosité, de volonté, voire de courage, mais si l'on est suspendu à la réponse, on risque fort
d'être déçu. Alors que si l'on n'attache qu'une importance
relative à l'issue heureuse de sa démarche, on ne peut que
s'en féliciter.

Pour ne pas être affecté par une réaction négative, il faut
dépersonnaliser vos requêtes. C'est-à-dire accueillir les refus
et les objections dans la plus grande indifférence. Par exemple, si vous réclamez une augmentation, votre demande peut
ne pas être prise en compte, tout dépend de facteurs qui vous
sont étrangers : le budget de votre entreprise, les implications
vis-à-vis de vos collègues, les lois régissant votre secteur d'activité, etc.

Dennis était comptable pour une chaîne de supermarchés. Il adorait son métier, à un détail près : l'emplacement de son bureau.

— Il n'était pas mal, me dit-il, mais il lui manquait une fenêtre. La lumière du jour est importante et m'aurait permis de mieux travailler.

Le problème est que sur la superficie qu'occupait la société de Dennis, peu de pièces donnaient sur l'extérieur. Dennis décida néanmoins d'agir. Il demanda à son patron s'il pouvait changer de bureau. Il lui expliqua aimablement qu'il aimait son travail, qu'il était fier de ses responsabilités mais qu'il souffrait légèrement de claustrophobie. Une semaine plus tard, il lui écrivit pour le remercier d'avoir prêté une oreille attentive à ses revendications.

J'ai parlé dernièrement à Dennis, qui n'a toujours pas déménagé. Il m'affirma néanmoins être satisfait car il avait fait son possible pour y remédier, dans la mesure où il avait alerté qui de droit. La bonne nouvelle était que son patron avait soulevé plusieurs fois le problème en réunion, ce qui signifiait que le souhait de Dennis était en voie de se réaliser. Cette anecdote illustre bien le fait qu'il est possible de ne pas obtenir immédiatement ce que l'on veut, et de garder néanmoins espoir.

Durant ma carrière, j'ai écrit ou téléphoné à des centaines de personnes, débordées ou incorrectes, qui n'ont jamais répondu à mes lettres ou à mes appels. J'ai compris que cela n'avait rien d'exceptionnel, qu'il fallait compter avec. Mais que ce n'était toutefois pas toujours le cas. La clé du succès est de continuer à s'investir sans faire reposer tous ses espoirs sur un quelconque résultat.

Il est parfois utile de se mettre à la place de son interlocuteur. Il y a de cela plusieurs années, je souhaitais rencontrer un spécialiste pour un petit ennui de santé et l'on m'a rétorqué qu'il ne prenait plus personne en consultation. J'ai beaucoup insisté, en vain. Finalement, perdant patience, j'ai dit à la réceptionniste :

— Écoutez, j'ai vraiment besoin de le voir. Vous ne pouvez vraiment rien faire pour moi ?

— Je suis absolument désolée, monsieur, répondit-elle, mais le Dr Smith a une liste d'attente qui s'étale sur trois ans. Il travaille six jours par semaine, douze heures par jour, et il n'a pas pris de vacances depuis cinq ans. Il a le plus grand mal à conserver une vie privée.

Cette description de l'emploi du temps de ce médecin m'aida à relativiser mes problèmes.

Lorsque vous êtes disposé à poser une question sans pour autant presser votre interlocuteur, il y a des chances pour que vous découvriez des solutions qui n'apparaissaient pas de prime abord. Vous pouvez, par exemple, provoquer un élan de générosité. J'en veux pour preuve un incident dont je fus le protagoniste. Un soir, j'arrivai à Atlanta épuisé et m'aperçus que l'hôtel où je m'étais rendu était entièrement occupé. Devant moi, un homme furieux se faisait menaçant et réclamait une chambre à cor et à cri. La réceptionniste était impuissante, mais cet individu colérique n'en avait cure. Il quitta l'hôtel en trombe et en rage.

Je m'avançai alors et, d'une voix aimable, je demandai :

— Je comprends votre situation et je ne vous reproche rien. Ce sont des choses qui arrivent. Ce serait très gentil de votre part si vous pouviez m'aider. Je sais que vous n'avez pas de chambres libres, mais pourriez-vous m'aider à trouver un autre hôtel, près d'ici ?

La jeune fille se révéla très serviable. Elle me dit qu'un client venait de quitter l'hôtel à cause d'une urgence. Il libérait la suite la plus grande et la plus chère du palace ! Comme j'avais fait preuve de patience et gentillesse, elle me fit un prix.

Mais pourquoi ne s'en était-elle pas souvenue plus tôt ? Je crois que la réponse est très simple. La grossièreté du malotru lui avait profondément déplu et avait contribué à son « oubli ». Lorsque je lui avais parlé, elle s'était sentie moins agressée et avait recouvré sa sérénité. La mémoire lui était revenue, ce qui me permit de jouir de quelques heures de repos bien mérité. Donc, n'hésitez pas à demander ce que vous désirez, mais ne forcez jamais le destin.

90

Rappelez-vous l'histoire dans sa totalité

Grâce à cette stratégie, je suis sûr que vous vous apercevrez que votre existence n'est pas aussi malheureuse que vous le prétendez.

Vous vous en êtes déjà rendu compte, quand on relate une journée de travail, on s'étend généralement sur les accrocs ou les incidents qui l'ont émaillée – manque de temps, trajets pénibles, conflits, disputes, pépins divers, collègues peu coopératifs, lubies du patron, etc. Mais ce compte rendu est-il fidèle à toutes les minutes qui ont composé cette journée ? Ne s'agit-il pas plutôt d'une sélection, d'un tri d'événements délibéré ?

Soyez honnête et songez à votre dernier jour de travail. Avant de vous rendre au bureau, avez-vous fait une pause pour prendre un café ? Avez-vous déjeuné ? Si oui, avec qui ? Était-ce agréable ? Avez-vous bien mangé ? Avez-vous eu une conversation intéressante le matin, l'après-midi ? Avez-vous eu l'occasion d'exercer votre sens créatif ? Avez-vous pris le temps d'admirer la nature, une petite cascade dans un jardin, des arbres et des fleurs, des oiseaux ou des animaux ? Avez-vous ri à une bonne plaisanterie ? Quelqu'un vous a-t-il complimenté ? Avez-vous écouté une bonne émission ou de la bonne musique à la radio ? Avez-vous mis un terme à un conflit ? Avez-vous été payé ?

Je ne suis pas en train de vous demander d'être heureux sans raison apparente. Comme je l'ai dit, je suis bien conscient des affres que nous réserve au quotidien la vie professionnelle. Mais si vous avez répondu de manière positive à l'une des questions précédentes, vous pouvez vous estimer bien plus satisfait que nombre de vos congénères. Cela ne signifie pas que vous devriez déclarer avoir passé une journée merveilleuse. Mais il convient d'éprouver une forme de reconnaissance pour chacun des petits plaisirs susmentionnés. Or, c'est à peine si nous les évoquons, comme si la vie ne nous offrait aucune source de joie, aucun bienfait. Lorsqu'on passe en revue l'ensemble des péripéties d'un jour, on s'aperçoit qu'au final, on a bel et bien quelques motifs de réjouissance. On s'acharne pourtant à ne s'axer que sur les menus tracas.

Je crois qu'il y a plusieurs raisons à cela. Nous sommes nombreux à vouloir émouvoir nos proches avec nos difficultés, nos conditions de vie moyennes, et nous attirer la sympathie. Vous entendrez rarement des conjoints se dire après une longue journée de labeur : « Formidable ! Tout ce que j'ai entrepris aujourd'hui a fonctionné à merveille. » Ils craignent trop de renvoyer l'image d'une existence facile, et préfèrent la dissimuler comme une tare. Il faut dire que beaucoup d'hommes se plaignent à leur femme des difficultés de leur vie professionnelle parce qu'ils préfèrent se passer de corvées ménagères une fois rentrés chez eux.

De plus, nous croyons mériter plus d'estime et de respect si nous affirmons travailler dur. Si nous déclarons que notre vie est un long fleuve tranquille, nous risquons de nous poser en privilégiés.

Mais se focaliser sur le négatif est une mauvaise habitude. Se plaindre est contagieux. Et, à moins que vous ne fassiez des efforts pour ne pas sombrer dans ce travers, il y a de fortes chances pour que vous continuiez de vous apitoyer sur vous-même jusqu'à la retraite.

Depuis que je m'attache à relater les meilleurs moments de ma journée, mes yeux se sont dessillés. Sensible à toutes sortes de choses qui, auparavant, ne m'intéressaient pas ou ne m'amusaient guère, j'apprécie désormais à leur juste valeur les conversations enrichissantes, les défis à relever, les contacts personnels avec les amis ou les relations. Plus important encore, le jugement que je porte sur le monde s'est transformé du tout au tout. Je suis moins sujet à l'ennui, et les tracasseries habituelles ne me touchent plus. J'ai la nette impression de ne plus me noyer aussi souvent dans un verre d'eau. Je suis persuadé qu'il en ira de même pour vous.

91

Dégainez votre arme antistress

Il y a plusieurs années, je me dépêchais de finir un travail à rendre le lendemain matin. J'étais énervé, pressé, agité et tendu. Un rien me mettait hors de moi.

Un ami, beaucoup plus calme et avisé que moi, séjournait chez nous quelques jours. Levant la tête dans ma direction, il me demanda soudain, d'un air apitoyé :

— Richard, est-ce que tu respires ?

Surpris et un peu agacé par ce qui me semblait une question sans intérêt, je répliquai :

— Bien sûr !

Il m'expliqua alors qu'il avait déjà constaté que les gens ne respiraient pas assez et ne remplissaient pas suffisamment leurs poumons. Il mit sa main sur ma poitrine et me montra ce que je faisais (ou plutôt ne faisais pas). Ce fut l'un des moments les plus surprenants de ma vie. Je réalisai que je respirais à peine !

À ma grande surprise, en prenant de plus grandes bouffées d'air, je me suis senti immédiatement mieux. Mon corps se décontracta comme par enchantement et mes idées s'éclaircirent. En reprenant mieux mon souffle par des respirations profondes, j'ai remarqué que je redoublais de tonus et, surtout, que je n'étais plus du tout aussi stressé qu'avant.

Je ne suis pas pneumologue, mais je suis prêt à parier qu'en prêtant un peu plus attention à vos inspirations et expirations, vous découvrirez qu'il est dans votre intérêt de faire attention à bien respirer. En réalité, vous serez sans douté très étonné de la rapidité avec laquelle la perception de votre corps s'aiguisera.

L'idée de respirer un peu plus intensément ne prend tout son sens que si l'on y pense. Après tout, que faites-vous lorsque vous éprouvez de l'appréhension ou une grande frayeur ? Peut-être ne vous en rendez-vous pas compte, mais généralement vous respirez à fond avant d'affronter ce qui vous effraie. Avez-vous déjà observé un joueur de basket juste avant qu'il ne tire un lancer franc crucial pour son équipe ? L'athlète prend une longue et profonde goulée d'air avant de viser. Je vous suggère ici de pratiquer quotidiennement ce type d'exercices. Plutôt que d'attendre le dernier moment pour bien respirer, pourquoi ne pas essayer de mieux contrôler votre souffle grâce à un entraînement journalier ?

Réfléchissez et vous verrez que c'est assez évident. Nous nous agitons tous comme des abeilles autour d'une ruche, occupés à faire mille choses à la fois. Et si nous n'absorbons pas assez d'oxygène, pourquoi s'étonner de nous sentir toujours aussi oppressés, de suffoquer même ? Si vous êtes déjà resté en apnée quelques secondes de trop, vous savez quel effroi, quelle anxiété vous pouvez éprouver. D'une certaine manière, négliger ses inspirations et expirations revient à passer ses journées à travailler sous l'eau. Nous ne risquons évidemment pas de nous noyer mais de le payer très cher en termes de stress et de tension nerveuse.

Guettez votre respiration. Lorsque vous avalez suffisamment d'air, le monde semble un peu moins fou et les choses reprennent leur juste place. Si votre corps ne manque pas d'air, vous serez moins enclin à vous noyer dans un verre d'eau !

J'aime comparer ma respiration à une arme que je peux utiliser à tout moment. C'est simple, naturel, et cela produit des résultats rapides et efficaces. J'espère que, dans votre vie professionnelle, vous ajouterez cette « arme » à votre arsenal antistress. Cela m'a certainement aidé, et je suis persuadé que vous en ressentirez également les bienfaits.

92

Parlez aux autres avec amour et respect

Un journaliste extraordinaire me raconta, hors micro, une histoire à laquelle il devait, selon lui, sa bienveillance et son affabilité proverbiales.

Une vingtaine d'années plus tôt, cet homme avait acheté une voiture flambant neuve avec un espace aménagé à l'arrière pour son grand chien à poils longs. Il laissa le véhicule dans un garage pour le faire nettoyer. Lorsqu'il récupéra l'auto, il s'aperçut que l'arrière était toujours plein de poils. Il entra alors dans une colère noire.

Il se plaignit aux employés mais sans résultat. Ils lui répondirent que leurs tâches ne consistaient pas à passer l'aspirateur dans le coffre. Apparemment, ils considéraient que l'espace aménagé pour le chien était un coffre, et ils refusaient de faire ce travail supplémentaire. Il demanda à voir le gérant.

Il passa les cinq minutes suivantes à l'agonir d'injures. Une fois l'orage passé, le responsable regarda son client droit dans les yeux. D'un ton calme et posé, il lui demanda s'il en avait fini et lui déclara alors qu'il passerait lui-même l'aspirateur et enlèverait un par un, s'il le fallait, tous les poils de l'animal.

— Je dois vous poser une question, monsieur, ajouta-t-il. Qu'est-ce qui vous a autorisé à me parler de cette façon ?

Le propriétaire de la voiture ne sut quoi répondre. Et, depuis, il a retenu la leçon du garagiste : toute personne mérite d'être traitée avec respect.

Quand le journaliste eut terminé son récit, j'eus du mal à me le figurer grossier ou méprisant. C'était une personne affable, chaleureuse, sympathique, ouverte et d'un commerce agréable.

Certaines personnes pensent qu'un employé doit supporter le mécontentement des clients et l'arrogance du patron. Il m'a toujours semblé, au contraire, que lorsque quelqu'un fait son travail, et que je bénéficie de ses services, je lui dois toute ma reconnaissance et mon plus grand respect. Il est tout simplement inconvenant de parler aux autres avec mépris ou impolitesse.

Si vous désirez embellir votre quotidien, respecter vos interlocuteurs est primordial.

93

N'allez pas plus loin

L'impératif « N'allez pas plus loin » signifie que, lorsque vous pressentez que vous vous dirigez vers une impasse, vous pouvez être sûr que le résultat sera nul. Aussi, n'avancez plus ! Cela ne sert à rien.

Vous êtes, par exemple, en train de poser à un collègue des questions trop personnelles et vous remarquez peu à peu qu'il se replie dans sa coquille et s'irrite de votre indiscrétion. Si connaître les réponses ne représente pas un besoin vital, bridez votre curiosité et stoppez tout net. Poursuivre votre interrogatoire risquerait de vous attirer des ennuis à court ou moyen terme. Pourquoi continuer ? De nombreux problèmes relationnels proviennent souvent d'une trop grande insistance. Mieux vaut parfois ne pas aller plus loin.

Imaginez que vous vous sentiez complètement débordé. Vous avez l'impression que votre quotidien est devenu un enfer. Vous envisagez même de démissionner. Dans ce cas-là, ne pas aller plus loin consiste à cesser votre entreprise de démolition. Broyer du noir vous causera plus de mal que de bien. Ne serait-il pas plus sage de vous requinquer un peu avant d'analyser votre vie ?

L'un de mes amis était sur le point de tromper sa femme. Quand il me demanda mon avis, je répliquai :

— Ne va pas plus loin.

Il m'a écouté et, par bonheur, son épouse et lui ont su redonner un second souffle à leur mariage.

Cette idée toute simple véhicule un grand pouvoir. Elle

peut vous apporter la sagesse et le sang-froid nécessaires pour changer de cap et vous éviter ainsi de commettre des erreurs.

J'ai observé bien des situations où une suggestion aussi simple aurait évité à des personnes de perdre leur job ou de s'engager dans une discussion interminable et stérile. Cette mise en garde peut freiner les tempéraments fougueux et les impulsions malvenues. Trop souvent, à vouloir s'engager dans une impasse, on débouche sur une série d'actions contre-productives. Souhaitons qu'un ami saura vous dissuader de dire à votre patron ses quatre vérités ou qu'un confrère saura vous faire entendre raison quand votre orgueil menace la sérénité d'un débat. Et à défaut de proches pour vous souffler de faire machine arrière, espérons que votre conscience se rappellera cette formule.

Je suis persuadé que vous trouverez dans votre vie courante des applications pour cette stratégie.

94

N'oubliez pas de respecter les gens
avec qui vous travaillez

Quantité d'actifs déplorent le mépris ou l'irrespect dont ils sont l'objet constant. On les maltraite parce qu'on juge que le seul fait de ne pas pointer au chômage devrait les satisfaire, et l'on ne juge pas nécessaire d'agréer leurs requêtes ni même de reconnaître leurs compétences.

Le problème est que toute personne a besoin et mérite de se sentir appréciée. Les gens qui se sentent considérés sont plus heureux et moins stressés que ceux qui font les frais de l'indifférence générale. Ils démissionnent rarement, sont ponctuels et créatifs, s'entendent bien avec les autres, et aspirent à la perfection. À l'inverse, les laissés-pour-compte éprouvent de la rancœur et manquent d'enthousiasme dans l'exercice de leur profession, jusqu'à en devenir apathiques et désinvoltes. Comme ils montent vite sur leurs grands chevaux, personne n'a envie de collaborer ou de discuter avec eux. Et peut-être ont-ils tendance à se noyer dans un verre d'eau plus encore que d'autres.

À mon regret, je ne dispose d'aucun remède miracle pour se sentir apprécié. Je peux cependant vous proposer une méthode pour ne jamais plus dénigrer vos semblables. Je me suis aperçu qu'un surcroît de sollicitude à l'égard de tous me procurait un bien-être inouï. En outre, mes collègues semblent m'apprécier plus qu'avant. Rien de tel pour instaurer une bonne ambiance !

Même si quelqu'un se contente de faire son travail, il importe de lui témoigner en retour certains égards. Soyez élogieux. Saluez son savoir-faire. Réitérez vos louanges.

Prenons un exemple : même si le travail du facteur consiste à livrer le courrier à son destinataire, remerciez-le de glisser vos lettres dans la boîte. Observez sa réaction. Exprimez votre gratitude au stagiaire préposé aux photocopies. Il ne fait peut-être que son boulot mais ce n'est pas une raison pour le traiter comme un robot. De même, dites par écrit à un sous-traitant combien ses services vous sont précieux. Vous obtiendrez sûrement quelque chose en retour. Et si votre démarche ne débouche sur rien, cela vaut toujours la peine d'essayer. Assurez-vous que votre secrétaire ou vos adjoints sont conscients de la valeur que vous accordez à leur travail et à leur présence. N'oubliez pas de leur renouveler vos encouragements.

Plusieurs fois par an, je dépose un petit mot de remerciements assorti d'un pourboire à l'éboueur du quartier. Depuis, il me fait signe le matin lorsqu'il me croise en train de courir et ne se plaint pas de la quantité d'ordures qu'il doit ramasser.

En ne manquant pas d'apprécier les gens avec lesquels vous travaillez, vos relations s'enrichiront et vous rendrez chacun un peu plus heureux.

Lorsque vous dispenserez vos remarques agréables, étudiez vos sentiments. Selon toute probabilité, vous serez satisfait et goûterez une certaine tranquillité d'âme. Recevoir un compliment sincère et chaleureux apaise votre interlocuteur et le libère de son stress. C'est bon de savoir que vous êtes en train d'aider quelqu'un à se sentir reconnu.

Je me souviens de l'époque où j'éprouvais quelques difficultés avec un collègue qui ne tenait pas compte de mes exigences. Nous nous engageâmes tous deux dans un bras de fer ridicule. Je finis par me rendre compte qu'il travaillait beaucoup et je me demandai alors s'il ne souffrait pas de ne pas être estimé à sa juste valeur. Je décidai donc de changer de tactique. Au lieu de continuer à le dédaigner, je commençai à m'intéresser aux tâches qu'il effectuait. Je fis une liste de ses points forts, qui étaient assez nombreux, et lui écrivis un petit mot de félicitations. Mes louanges étaient sincères. Une semaine plus tard, je reçus une lettre dans laquelle ce collègue me remerciait à son tour et me signalait tous les points sur lesquels nous nous entendions. Je remarquai presque immédiatement de sensibles améliorations dans nos relations de travail. Nous avons pu repartir sur de nouvelles bases.

Je n'ai pas envoyé cette note élogieuse dans l'idée de manipuler mon collègue. Je l'ai fait parce qu'il m'a semblé qu'il se sentait sous-estimé. Et j'avais raison. Dès qu'il s'est aperçu que je ne feignais pas de l'apprécier, nous avons pu dépasser notre mésentente.

Il ne faut sans doute pas s'attendre à obtenir chaque fois des réactions aussi positives. Je me suis souvent investi dans des projets pour lesquels j'avais l'impression de faire du bon travail sans que je sois récompensé en échange. Mais cela n'a aucune importance. Même si vous ne percevez rien en retour, vous vous sentez bien, et c'est le principal. Au pis, vous rendrez heureux votre prochain. Et au mieux, vous susciterez l'admiration de tout votre entourage. Quoi qu'il advienne, en adoptant cette stratégie, vous serez gagnant.

95

Sachez apprécier les critiques

Pour être franc, si j'étais paralysé par les critiques, je peux vous assurer que je n'écrirais pas ce livre. Nous avons tous à les affronter un jour ou l'autre. En réalité, le seul moyen d'éviter les attaques et les reproches est de vivre en ermite. Quelquefois, les accusations portées contre nous sont recevables, voire utiles. D'autres fois, elles s'apparentent plutôt à un tissu d'absurdités. En tout cas, apprendre à dédramatiser est incroyablement salutaire pour qui veut vivre sans stress.

Autant que je me souviens, j'ai toujours cherché à rendre heureux autrui. J'ai passé mon existence à essayer d'exhorter mes semblables à témoigner plus de patience, à apprécier la vie et à relativiser les problèmes. Cependant, malgré mes bonnes intentions et mon amour des êtres humains, on m'a traité de grand naïf, de simplificateur, d'utopiste. On m'a même reproché des actes de malveillance ! D'aucuns m'ont déclaré que j'étais heureux parce que ma situation était plus rose que la leur.

Sachez qu'il y aura toujours quelqu'un prêt à contester vos actions et à vous sermonner. Prenons une élection politique que l'un des candidats remporte avec soixante pour cent des voix. On peut juger qu'il s'agit là d'une écrasante victoire, mais on ne doit pas oublier non plus que quarante pour cent des votants souhaitaient le voir perdre ! Grâce à cet exemple, j'ai fini par relativiser les critiques dirigées contre moi. Personne n'est assez important, assez bon ou bienveillant pour échapper à son lot de censeurs.

Un jour, j'ai demandé à un ami écrivain, d'un calme olympien, comment il faisait pour supporter les analyses cassantes, partiales ou offensantes. Il m'a répondu :

— J'ai toujours essayé de voir s'il n'y avait pas une once de vérité dans ce qui était dit. Très sincèrement, cela arrive souvent. Dans ces cas-là, je tente d'en retirer l'essentiel. Mes évolutions, mes progrès émanent sans doute de la lecture attentive des critiques. La pire chose serait de les prendre comme une attaque personnelle et d'essayer de me défendre.

Tout le monde a le droit d'avoir une opinion. Nous tomberons toujours sur des gens qui ont des points de vue différents des nôtres et qui conçoivent la vie autrement. Lorsque vous aurez intégré cette donnée, la critique ne vous atteindra plus de la même façon. On tombe amoureux d'êtres à qui son meilleur ami n'accorderait pas un regard. On s'esclaffe à une plaisanterie que d'autres jugent douteuse. Il est impossible de ne jamais s'attirer les foudres de ses congénères. Une fois que vous aurez pris la décision de ne plus prendre les critiques au tragique, votre ego ne souffrira plus, et votre vie professionnelle deviendra beaucoup moins stressante.

96

Créez moins de stress

Un collègue doté d'un grand sens de l'humour a eu pour idée lumineuse de lancer une gamme originale de vêtements de sport qui porterait l'inscription suivante : « Le tee-shirt qui élimine tout votre stress. » L'effet du produit, précisait-il, se bornait cependant au stress que l'on ne se crée pas soi-même.

Ce qui laisse entendre que l'on n'angoisse que parce qu'on le veut bien. Mon ami se donnait la possibilité de rétorquer que ce n'était pas sa faute si le tee-shirt miracle n'était pas infaillible. Je n'irais peut-être pas aussi loin que lui, mais je reconnais que c'est assez bien vu. Si un inconnu fait brusquement irruption chez vous et pointe son revolver sur votre tempe, vous éprouverez un moment d'anxiété véritable. Si votre enfant tombe malade, que vous perdez votre emploi, ou qu'un incendie se déclare dans votre appartement, vous avez de bonnes raisons d'être inquiet.

Cela dit, il est clair que le stress que nous ressentons provient, la plupart du temps, de notre façon d'appréhender les choses. Nous sommes nombreux à retourner quotidiennement nos pensées contre nous-mêmes, parfois à notre insu. Nous réfléchissons seuls dans notre coin, nous érigeons en victimes, perdons le sens des réalités et faisons tout un plat d'une broutille. Nous ne cessons d'analyser notre vie et de nous culpabiliser. Bref, nous nous noyons dans un verre d'eau. Nous ressassons mentalement les mêmes problèmes, nous nous complaisons dans de sombres méditations et cherchons désespérément à comprendre le comportement d'autrui. À force d'anticiper les événements, nous ne vivons plus dans l'instant présent.

Nous nous attardons sur nos souvenirs les moins souriants. Dans la majorité des cas, nous sommes totalement inconscients du mal que nous nous infligeons et ne nous rendons pas compte que certains de nos actes nous portent préjudice. Au lieu de cela, nous rejetons la faute sur le monde, sur notre enfance, sur les autres.

Une remise en cause de ce mode de raisonnement peut s'avérer vitale.

Reconnaître que l'on est soi-même à l'origine de son stress exige une humilité qui réclame elle-même de sacrés efforts. Toutefois, si l'on persiste à croire que la vie est un enfer, il sera de moins en moins loisible de modifier sa perception du monde. Alors que si l'on admet sa responsabilité, on détient le pouvoir de changer.

À partir du moment où vous convenez que, jusqu'à un certain point, vous êtes votre propre ennemi, le reste n'est plus qu'un jeu d'enfant. Commencez par prêter attention à vos réflexions, et rappelez-vous que c'est vous qui les analysez. On peut toujours cesser de ruminer des idées nuisibles : on crée ainsi un état favorable à de nouvelles cogitations. Et il ne vous reste plus qu'à chasser tranquillement les pensées négatives de votre conscience, sans leur accorder la moindre importance.

L'unique moyen que vous ayez pour venir à bout de toute tension nerveuse est de bouleverser vos automatismes mentaux.

Commencez par observer vos pensées. Demandez-vous si vous êtes optimiste et si votre moral est bon, si vous gardez le sens des réalités et votre humour, si vous encouragez votre intellect à donner le meilleur de vous-même, si vous n'avez pas tendance à dramatiser. Dès lors, vous êtes sur la bonne voie. N'oubliez pas qu'il est nettement plus facile de changer ses habitudes de penser que de révolutionner la marche du monde. En réduisant le stress que vous vous imposez, vous avancerez tout droit vers la paix intérieure.

97

Prenez conscience
que la pensée est un atout

P rendre conscience que la pensée est un atout aide formidablement à ne plus se noyer dans un verre d'eau
au travail. Pour être calme, patient et posé, il est absolument indispensable de comprendre que vos faits et gestes
sont conditionnés par votre subjectivité et non par votre environnement.

Mon grand ami Joe Bailey s'est livré à une expérience intéressante afin de mettre en lumière ce problème essentiel. Il
a interviewé aux heures de pointe des dizaines d'automobilistes qui se trouvaient bloqués sur une autoroute dans les
environs de Minneapolis.

On entend fréquemment dire que les embouteillages
constituent l'une des principales causes de mécontentement
des conducteurs. Les tests réalisés pour mesurer le stress
auraient même tendance à le prouver. Dans le meilleur des
cas, le trafic est toléré, au pire les bouchons entraînent des
comportements agressifs. L'objectif de Joe était de montrer
aux gens qu'en fait ce sont nos mentalités, et non les encom-
brements eux-mêmes, qui sont responsables de nos réactions. Il voulait prouver que nous sommes maîtres de choisir
telle ou telle attitude et qu'en aucun cas nous ne sommes des
victimes.

Les réponses apportées par les conducteurs qui se trouvaient coincés dans cet embouteillage sont assez variées.
Comme on pouvait s'y attendre, un grand nombre se disaient

furieux et excédés. Certains criaient et invectivaient Joe devant la caméra. D'autres attendaient patiemment, plus détendus. Quelques-uns écoutaient des cassettes ou téléphonaient. Et croyez-le si vous voulez, mais quelques personnes ont soutenu que les bouchons étaient le meilleur moment de la journée, car cela leur permettait de souffler, et de ne plus penser à rien.

La grande majorité des femmes et des hommes interrogés sortaient de leur bureau. Ils étaient probablement fatigués, et étaient tous obligés d'attendre sur la même autoroute, dans les mêmes conditions. Donc, en admettant que ce fâcheux contretemps était responsable de la mauvaise humeur des gens, tous auraient nécessairement dû réagir de la même façon. Or, ce n'était pas le cas.

Cette expérience démontre que notre conception de la vie provient avant tout de nos propres représentations mentales. Si vous y réfléchissez quelques instants, vous ne tarderez pas à entrevoir toutes les implications de cette découverte. Cela signifie que vous avez la possibilité d'adopter pour chaque situation le type de réponse que vous voulez, et non seulement sur les autoroutes mais également dans la vie quotidienne et professionnelle.

Si vous êtes pris dans un embouteillage, par exemple, et que vous reconnaissez que votre comportement est induit par votre état d'esprit (et non par les circonstances), cela change entièrement votre perception de la situation. Plutôt que de vous plaindre des aléas de la vie, vous pouvez apprendre à rester stoïque et détendu face aux événements. Je ne dis pas que ce sera toujours facile. Néanmoins, grâce à cette prise de conscience, vous garderez espoir. Même si vous êtes très énervé, vous savez que la situation présente n'est que passagère. Et vous l'appréhenderez beaucoup plus facilement qu'avant.

Il existe en toute chose des liens de cause à effet. Si vous sautez, par exemple, d'un immeuble de cinquante étages, il y a peu de chances pour que vous surviviez. Si vous mettez la main sur une plaque chauffante brûlante, vous allez pousser un cri de douleur. Si vous lancez un gros bouchon de liège au milieu d'un lac, il flottera à la surface de l'eau. Ce sont des lois de la nature.

Cela n'empêche pas que chacun affronte des situations diverses – embouteillage, surmenage, conflit personnel, erreurs, délais, critiques, etc. – selon le même schéma. Nous sommes persuadés que ces mésaventures doivent déclencher en nous stress et contrariété de la même façon que le feu provoque une brûlure. Se faire critiquer est censé déclencher en nous une réaction de défense. Commettre une erreur doit nous décourager pour la journée, et ainsi de suite... Nous nous trompons dans nos analyses parce que nous croyons que ces vicissitudes sont la cause de notre stress, alors que ce n'est pas le cas.

Comprendre peut ouvrir la voie à une manière entièrement nouvelle de concevoir la vie. Nous n'avons pas souvent la possibilité de modifier notre environnement immédiat, mais nous avons toujours celle de corriger nos pensées et nos actes. J'espère que vous consacrerez quelques minutes de réflexion à cette proposition et que vous adhérerez à sa logique.

98

Débarrassez-vous lentement de votre ego

C e livre a pour but de vous aider à devenir moins stressé dans votre vie professionnelle et de vous soutenir dans vos efforts pour ne plus vous noyer dans un verre d'eau. Il n'existe pas selon moi de plus grand facteur de stress, d'anxiété, et d'irritation qu'un ego surdimensionné. Avec un peu d'humilité, vous parviendrez à réduire considérablement toute tension dans votre travail.

Selon moi, l'ego est cette part de soi qui a le plus besoin de se distinguer. Et étant donné que chaque être humain est unique et singulier, le moi ressent la nécessité de prouver à chaque instant son caractère exceptionnel. D'où les jugements à l'emporte-pièce que l'on porte sur les autres, un orgueil mal placé, une indifférence à l'égard de ses semblables, etc.

Outre le repli sur soi que cela suppose, un ego gigantesque est une source monstrueuse de stress. Pensez à toute l'énergie gaspillée pour se prouver des choses à soi-même, se faire remarquer et défendre bec et ongles ses intérêts. Jugez combien il peut être éprouvant de toujours se comparer aux autres et de se montrer à chaque instant comme étant le meilleur. Songez à quel point il est épuisant de constamment se jauger, s'évaluer et être continuellement préoccupé par ce que les autres pensent de vous.

Se libérer progressivement de son moi est un acte volontaire. Le tout est d'être humble et patient. Commencez par observer attentivement vos pensées et votre comportement. Lorsque vous vous sentez sur la mauvaise pente, ayez la sagesse de faire machine arrière. Moquez-vous de ce travers tout en restant indulgent avec vous-même. Ne vous harcelez pas, inutile d'entrer dans un nouveau conflit avec votre moi. Vous n'êtes pas pressé. Gardez votre calme et le changement ne manquera pas de se produire.

Il y a beaucoup à gagner à se défaire de son ego. D'abord, vous aurez l'impression de vous débarrasser d'un poids énorme. Comme je l'ai dit, s'affirmer et se faire valoir exigent de nombreux efforts. Vous aurez donc plus d'énergie et une ouverture d'esprit plus grande. Votre qualité d'écoute s'enrichira. Dès que vous ne ressentirez plus le besoin d'impressionner les autres et que vous serez devenu vous-même, les membres de votre entourage vous écouteront avec intérêt et seront plus attentifs à vos désirs. Vous ne chercherez plus à capter l'attention d'un auditoire, vous l'obtiendrez de la manière la plus naturelle qui soit.

J'espère que vous accorderez quelque considération à ce conseil et que vous ferez un petit effort. Si chacun d'entre nous devenait plus humble, sincère et désintéressé, le monde serait plus beau. Et puis, plus personne ne se noierait dans un verre d'eau.

99

Rappelez-vous que les petits ennuis font partie de la vie

Comme nous arrivons à la fin de ce livre, je crois qu'il serait bon que je vous rappelle un fait essentiel : votre parcours sera émaillé de petits imprévus. En d'autres termes, vous pouvez mémoriser tous les conseils, appliquer toutes les stratégies à la lettre, garder votre sang-froid devant les situations les plus stressantes, il n'empêche que vous serez toujours confronté à des tracasseries quotidiennes. Il peut être tentant de s'imaginer, avec la sagesse que vous venez d'acquérir et les transformations positives de votre comportement, que vous serez à l'abri des contrariétés. Avec la pratique, vous n'accorderez aux petits ennuis que le peu d'attention qu'ils méritent.

Lorsque je me sens assailli de tous côtés par mille et un désagréments, je me rappelle ces paroles de mon père :

— La vie, c'est faire une chose après l'autre.

Comme c'est vrai ! À peine vient-on à bout d'un tracas que le prochain montre le bout de son nez. On résout un conflit et l'on en provoque un autre par inadvertance. On réussit à dénouer une situation passablement embrouillée lorsque surgit un nouveau problème encore plus compliqué. On cherche à rendre service à quelqu'un et, dans le même temps, on irrite une autre personne. Nos projets tombent à l'eau, notre ordinateur tombe en panne, nous tombons sur un os... Tout cela fait partie de notre lot quotidien et ne changera pas de sitôt.

Reconnaître que la vie est faite de contrariétés, de contradictions, de désirs opposés, ou d'intérêts incompatibles est déjà en soi une source d'apaisement. Il en a été et sera toujours ainsi. Envisager le monde autrement n'engendre que douleur et souffrance. Dès que vous cessez de demander à l'existence d'être différente, vous reprenez de l'emprise sur elle. Les mêmes choses qui vous mettaient dans une colère noire vous effleurent à peine. Le moindre incident avait le don de vous faire sortir de vos gonds, maintenant vous l'abordez avec calme et sérénité. Au lieu de dépenser votre énergie à vous taper la tête contre les murs, vous gardez votre sang-froid et maîtrisez la situation du mieux que vous pouvez.

Si j'en crois mon expérience, il n'existe pas de recette miracle capable de transformer la vie professionnelle en monde merveilleux et harmonieux. En revanche, je suis certain qu'en ayant le sens des réalités et en étant plus pondéré dans vos jugements, vous apprendrez rapidement à ne pas vous laisser abattre tout en donnant le meilleur de vous-même. J'espère que ce livre vous aura été utile pour éclaircir vos idées, élever votre vision du monde et, surtout, vous aura aidé à ne plus vous noyer dans un verre d'eau.

100

N'attendez pas la retraite pour vivre

Consciemment ou pas, beaucoup traversent l'existence en pensant à leur retraite. Ils rêvent à la vie merveilleuse qu'ils auront une fois débarrassés du lourd fardeau du travail quotidien. Certains vont même jusqu'à compter les années, les mois, les jours qui les séparent de ce moment tant attendu. Ils reportent à plus tard le bonheur et la joie, un peu comme s'ils attendaient la quille.

Heureusement, la plupart des gens ne vont pas jusqu'à ces extrémités. Cela dit, un grand nombre rêvent à un avenir plus rose que le présent et s'imaginent qu'à la retraite, ils auront plus d'argent, de liberté, de sagesse, de temps pour voyager, etc.

Mieux vaut se réveiller chaque matin en pensant : « Chaque jour est le premier qui me reste à vivre. » Honorez ce don qu'est l'existence en accomplissant quotidiennement votre part du mieux que vous pouvez. Essayez de garder en mémoire cette exigence, et d'animer les autres des mêmes intentions. Vous contribuerez ainsi, même modestement, à améliorer la vie de votre prochain. Souvenez-vous que les jours ont tous été créés égaux, qu'aujourd'hui est aussi important que demain ou après-demain.

Attendre la retraite pour vivre augmente le risque de déception. Il se produit un phénomène étrange lorsque l'on repousse le bonheur d'échéance en échéance. C'est comme si nous ressassions, dans le même temps, les moyens d'être malheureux. Lorsque nous nous convainquons que nous serons heureux plus tard, nous avouons, en fait, que notre vie présente n'est pas satisfaisante. Nous avons à attendre le jour où les circonstances seront différentes. Et nous n'en finissons pas d'attendre. Des milliers de fois, au fil des années, nous rêvons secrètement au nirvana que nous atteindrons quand tout aura changé. Mais pour l'instant, nous devons nous contenter de ce que nous avons.

Finalement, le grand jour arrive, vous êtes à la retraite. Mais se pose aussitôt un problème. Comme vous le savez, les vieilles habitudes ont la vie dure. Dans la grande majorité des cas, arrivés à un âge aussi avancé, les gens ne peuvent tout simplement pas changer.

Apprendre à penser différemment est sans doute la tâche la plus dure qui soit. Nous avons tous, un jour ou l'autre, été pris en défaut par notre vision du monde.

Si vous passez des années à penser que votre vie est méprisable, il est absurde de croire qu'en un instant – lorsque votre retraite deviendra réalité – vous allez vous mettre à sauter de joie.

La solution à ce problème consiste à vouloir être heureux maintenant, à faire tous vos efforts pour rendre votre travail enrichissant, à vous lancer dans votre plan de carrière comme dans une aventure. Soyez à la fois créatif et lucide. Puis transposez votre conception de la vie professionnelle dans votre vie quotidienne. Encouragez-vous à être optimiste, tonique à chaque instant de votre existence. Lorsque le jour de la retraite arrivera, dans six mois comme dans vingt ans, vous connaîtrez alors le secret du bonheur : il n'y a pas de voie qui conduise vers la félicité, la félicité est la voie. À vous d'en faire une seconde nature.

Allez de l'avant, préparez-vous une belle retraite. Faites des projets non sans avoir longuement réfléchi. Mais rendez-vous service : n'oubliez pas un seul jour au cours du chemin.

J'espère que ce livre vous aura été bénéfique. Permettez-moi de vous adresser toutes mes amitiés, mon respect et mes meilleurs vœux. Prenez soin de vous.

Bien-être

7264

Composition PCA à Rezé
Achevé d'imprimer en France (Manchecourt)
par Maury-Eurolivres
le 11 mars 2003.
Dépôt légal mars 2003. ISBN 2-290-32662-3

Éditions J'ai lu
84, rue de Grenelle, 75007 Paris
Diffusion France et étranger : Flammarion